KB036126

武林五賊
무림오적

무림오적 42

초판 1쇄 발행 2022년 5월 30일

지은이 | 백야
발행인 | 신현호
편집장 | 이호준
편집부 | 송영규 최종건 정재웅 양동훈 곽원호 조정범 강준석 최성화
편집디자인 | 한방울
영업 | 김민원

펴낸곳 | ㈜디앤씨미디어
등록 | 2002년 4월 25일 제20-260호
주소 | 서울시 구로구 디지털로 26길 111 JnK디지털타워 503호
전화 | 02-333-2513(대표)
팩시밀리 | 02-333-2514
E-mail | papy_dnc@dncmedia.co.kr
블로그 | blog.naver.com/gnpdl7

ISBN 978-89-267-1897-1 04810
ISBN 978-89-267-3458-2 (SET)

백야 신무협 장편소설
PAPYRUS ORIENTAL FANTASY
42
무림오적
武林五賊
PAPYRUS
파피루스

1장.

대화(對話)

그녀는 한숨을 쉬며 입을 열었다.
“그렇다면 한조는 어디에 있죠?”
오라버니는 당연하다는 듯이 대답했다.
“북경부에 가신 아버님을 수행하고 있지.”

1. 보고(報告)

"북경부에서 화군악과 장예추의 행적이 발견되었다는 보고입니다."

"그들은 북경부 지부를 찾아와 오대가문과 금적산의 근황에 대해서 정보를 얻고자 하였습니다. 북경부 지부주는 아주 단순하고 평범한 정보를 건네주었다고 합니다."

"바보로구나."

가만히 보고를 듣고 있던 흑개방주는 눈살을 찌푸리며 짜증을 내듯 말했다.

"그럴수록 제대로 된, 정확하고 깊이가 있는 정보를 건네야지. 그래야 우리를 의심하지 않고 더욱 신뢰할 게 아닌가?"

"방주의 말씀이 맞습니다. 북경부 지부주에게 경고를 보내겠습니다."

"됐다. 이미 지난 일이다. 그래서?"

흑개방주의 물음에 세 명의 수하들이 번갈아 입을 열기 시작했다.

그들은 매일 대륙 전역에서 날아드는 수만 건의 정보 중에서 특급의 정보만을 추려서 아침마다 흑개방주에게 보고하는 임무를 지니고 있었다. 이날따라 그 보고량이 상당히 많았으며, 하나같이 매우 중대한 내용을 지니고 있었다.

"화평장 사람들이 모두 함께 성도부를 떠났으니 우리가 뒤쫓는 설벽린이라는 자 역시 장예추, 화군악과 함께 북경부에 있을 가능성이 높습니다."

"당시 북경부 내에 고수들의 수가 부족하여 아쉽게도 화군악과 장예추의 뒤를 쫓지는 못했습니다. 그러나 지금 사람들을 풀어 그자의 위치를 찾는 중입니다."

"그들 개개인의 능력이 이미 화경의 경지에 오른 이상, 본 방의 일반 고수들로는 확실히 상대하기 힘듭니다. 그래서 따로 살수들에게 청부하였습니다."

"살막은 물론 은자림(隱者林)에서도 우리들의 청부를

받아 주었습니다. 일 인당 은자 백만 냥의 조건입니다."

"은자림이?"

흑개방주도 의외라는 표정을 지었다.

돈만 주면야 무슨 청부이든 다 수락하는 살막과는 달리 은자림은 자신들의 요구 조건을 충족하지 않는 이상 수만 금을 가져다 바쳐도 청부를 받아들이지 않는, 신비하면서도 괴팍하기 그지없는 살수 조직이었다.

하지만 그 실력만큼은 확실하여, 이른바 살수계(殺手界)의 삼대 조직이라 불리는 대자객교(大刺客橋), 살막, 은자림 중에서 가장 청부 성공률이 높다고 알려져 있었다.

흑개방주의 물음에 수하들이 대답했다.

"그들을 상대로 살막이 계속해서 실패하고 수십 명의 사상자를 냈다는 이야기가 은자림의 호승심을 건드린 모양입니다. 살막은 실패했지만 은자림은 다르다, 뭐 이런 이야기를 듣고 싶었던 것 같습니다."

"뭐, 하기야 은자림이 내거는 요구 조건이라는 게 다 자기네들 마음대로였으니까."

"그렇습니다. 한편 대자객교 역시 상당히 흥미를 보이고 있으며 계속 협상 중입니다. 어쨌든 화평장 사람들이 일반인도 아니고 선인(善人)도 아니며 정파의 인물도 아니니까 말입니다."

"아, 물론 사천당문이나 무당파의 여식들도 있기는 하지만 무엇보다 야래향과 빙옥마고의 제자들이라는 걸 강조하여 이야기하는 중입니다."

"대자객교가 나선다면야……."

흑개방주는 만족스러운 표정을 지었다.

대자객교는 삼대 살수 조직 중에서도 가장 강한 무위와 뛰어난 암살 실력을 지니고 있었다.

하지만 의외로 그들의 청부 성공률이 은자림보다 낮은 건, 그들이 맡은 청부 대상이 주로 사마외도의 거물들이었기 때문이었다. 심지어 전대 최강자인 금강철마존도 대자객교의 청부 대상이었다.

"황계의 십삼매도 성도부를 떠나 북경부로 향하는 중입니다. 별다른 일이 없다면 아마도 열흘 안에 북경부에 입성할 것 같습니다."

"공적십이마 중 세 명의 노마들은 여전히 서안에서 머물고 있습니다. 그리고 무슨 일인지는 모르겠지만 다른 공적들도 서안으로 모이는 것 같습니다."

"흠, 드디어 일을 시작하려는 건가?"

흑개방주는 턱을 쓰다듬으며 중얼거렸다.

"무림오적으로 오대가문을 충분히 흔들어 놓았으니, 이제 그 뒤통수를 후려칠 작정인가 보군. 아마도 이번 여름이 가기 전에 노마들의 대회합이 있을지도 모르겠군."

"예의 주시하는 중입니다."

"금해가의 요청으로 오대가문의 비상 회담이 준비 중입니다. 장소는 건곤가, 일시는 보름 후, 그리고 공석 중인 무적가 가주 대신 삼숙(三叔) 제갈천상이 참석하고 철목가에서는 대부인(大婦人) 곽씨(郭氏)가 나온다고 합니다."

"대부인이?"

흑개방주가 고개를 갸웃거렸다.

"왜 야심만만한 둘째 부인이 나서지 않고?"

"그게…… 이미 둘째 부인은 숙청당했다고 합니다."

"뭐라? 왜 그 사실을 나는 전혀 모르고 있었지?"

흑개방주가 성난 눈빛으로 수하들을 노려보았다.

수년 전 흑개방주는 설벽린이 분탕질로 인해서 직접 철목가까지 찾아가 둘째 부인에게 허리를 숙이고 사과한 적이 있었다.

그 치욕을 여전히 잊지 못하고 분노의 불길이 아직도 꺼지지 않았는데, 정작 둘째 부인은 숙청을 당했다는 것이다.

"안 그래도 다음 보고 사항에 있습니다."

수하들은 자라목이 된 채 다급하게 입을 열었다.

"유월 초순에 있었던 사건이니, 불과 며칠 전의 일입니다. 가문총회(家門總會)를 열고 단숨에 철목가의 실권을 장악한 대부인은 이후 둘째 부인이 설벽린과 통정한 사실을 알리고 철목가의 체면과 긍지와 자존심을 저버린 추악한 사건이라고 주장하여 그녀를 죽이고자 했습니다."

"하지만 아직 남아 있는 둘째 부인의 충신들과 또 그녀의 자식들이 애원한 덕분에 그녀는 폐맥(廢脈)을 당한 채 무인도에 유배되었습니다. 물론 철목가 사람들 모두 그녀가 살아서 강호에 되돌아올 일은 없을 거라고 생각하고 있습니다."

"철목가는 현재 둘째 부인의 아들이 하나, 셋째 부인의 아들이 둘, 이렇게 있습니다만 대부인은 그들의 실력과 인품이 부족하여 가주에 적합하지 않다며 스스로 가문의 권력을 쥐었습니다."

"흠, 확실히 그 아들들이 망나니인 건 맞지. 예로부터 호부(虎父) 밑에 견자(犬子) 없다고는 하지만, 외려 견자들이 아닌 경우가 더 드물어서 말이야."

흑개방주는 고개를 끄덕이며 말을 이었다.

"게다가 대부인 곽씨라면 한때 일대종사(一大宗師)로 불렸던 그 곽씨 가문의 후손이 아닌가? 애당초 철목가주 정극신이 그녀와 혼인한 것도 곽씨 가문의 절세무공(絕世武功)이 탐나서였으니까. 비록 지금껏 그녀가 무공을 선보인 적은 없지만, 그 곽씨 가문의 진전을 이어받았다면 최소한 정극신 못지않을 게야."

"안 그래도 철목가의 중진들은 그녀의 곽씨 무공에 상당한 기대를 거는 모양입니다. 또한 그녀 말대로 마땅한 적임자가 없는 이상, 한동안 그녀에게 가주 역할을 맡길 것 같습니다."

"흠, 그것 또한 지켜볼 재미가 있겠군. 그래, 다음 소식은?"

"구파일방의 소식입니다. 먼저 소림사부터 이야기드리자면……."

2. 부녀(父女)

"어서 빨리 그들의 뒤를 쫓아야 합니다. 아직 그들이 우리 추격권을 벗어나지 않았을 때 말이에요."

천소유는 강변했다.

허창 성문 외곽 지역에 버려지듯 강만리의 마차에서 내린 그녀는 곧장 허창부로 들어갔다.

허창부도 엄연히 건곤가의 세력권 내였으나 언제 금적산의 수하들이 뒤쫓아올지 모르는 일이었다. 그녀는 허창에 있는 건곤가의 하부 조직을 찾았고, 그들과 함께 정주 건곤가로 이동했다.

사흘 후 건곤가로 돌아온 그녀는 곧장 부친 천예무를

찾았지만, 아쉽게도 천예무는 출타 중이었다.

"북경부에 계십니다."

총관은 그리 말했다.

'북경부, 또 북경부인가!'

천소유는 입술을 깨물었다.

천예무는 종종 북경부를 찾았다. 인맥을 관리하고 관계를 돈독하게 유지하기 위함이라고 했다. 하지만 무림의 인물이 북경부 인사들, 특히 황궁 사람들과 무슨 관계를 유지한다는 것인가.

'어쩌면…….'

수년 전 있었던 황궁 연쇄살인 사건과 그녀의 부친이 연관되어 있는지도 몰랐다.

'아냐, 그럴 리는 없어.'

그녀는 세차게 도리질을 했다.

물론 그녀도 부친 천예무의 야심은 익히 잘 알고 있었다. 태극천맹이라는 이름으로 무림을 지배하는 게 아니라 건곤가의 이름으로 천하 위에 군림하고 싶어 하는 욕망과 야심.

하기야 군림천하라는 건 무림인이라면 누구나 다 한 번쯤 꿈꾸고 욕심을 내는 일이었다.

그러나 역모는 달랐다. 그건 있을 수도, 꿈꿀 수도 없는 일이었고 해서는 더더욱 안 되는 일이었다.

입술을 잘강잘강 씹는 그녀의 뇌리에 문득 옛 기억들이 하나둘씩 떠올랐다.

천소유는 한숨을 쉬며 입을 열었다.

"그렇다면 한조는 어디에 있죠?"

오라버니는 당연하다는 듯이 대답했다.

"북경부에 가신 아버님을 수행하고 있지."

"한조가 왜요?"

그녀는 미심적다는 표정을 지으며 물었다.

"그녀는 어디까지나 오라버니의 휘하잖아요. 그런데 왜 오라버니 곁을 떠나 아버님을 모시죠?"

"그건 말이지……."

오라버니는 난처한 듯 말꼬리를 흐렸다. 그녀는 그럴 줄 알았다는 듯이 말했다.

"없는 한조 가지고 핑계를 대려 하니까 말문이 막히잖아요. 그러니 거짓말하지 말고……."

"거짓말이 아니다."

오라버니는 한숨을 쉬며 말했다.

"너에게 이야기하기 좀 그런 거라서 망설였다. 하지만 네가 끝까지 나를 핍박하니 어쩔 도리가 없구나. 한조는 다실 북경부 태자 전하를 만나러 갔다."

너무나 뜻밖의 말에 그녀의 눈이 휘둥그레졌다.

"왜요?"

"나와 함께 북경부에 갔었을 때 한조가 태자 전하의 수발을 든 적이 있었거든."

일순 그녀의 얼굴이 살짝 붉어졌다. 오라버니는 그런 그녀를 외면하며 말을 이었다.

"그때의 기억이 남았는지 이번 아버님의 북경행 때 태자 전하께서 그녀를 함께 부르시더구나. 그래서 북경부에 간 게다."

그녀는 오라버니를 노려보듯 쏘아보며 물었다.

"정말이죠?"

오라버니는 두 손을 들며 말했다.

"정말이다. 내가 왜 네게 거짓말을 하겠느냐?"

그건 그녀가 사오 년 전, 사천당문의 어느 혼인식에 초대받아 갔다가 그게 장예추와 당혜혜의 혼인이라는 걸 알고 충격을 받고 돌아온 후의 일이었다.

당시에도 부친 천예무는 북경에 가 있었다. 심지어 태자 전하와 만남도 있었고, 더 믿을 수 없게도 한조로 황태자의 수발을 들게 한 것이다.

한조는 암영단의 단주이자 음양인이었다. 여인의 몸으로 사내와 사랑을 나누기도 하고, 사내의 몸으로 여인과 운우지정(雲雨之情)을 즐기기도 하였다.

심지어 한조는 천소유에게도 몇 번이나 유혹의 눈길을 던졌다.

-저와 하룻밤만 보내면 세상이 달라 보일 겁니다.

한조는 유쾌하게 웃으며 그렇게 유혹했다. 그럴 때마다 천소유는 아무도 모르게 진저리를 쳐야 했다.

하지만 그 한조는 천예무와 함께 북경부에 간 이후로 두 번 다시 그녀의 앞에 모습을 드러내지 않았다. 이미 천소유의 오라버니는 죽었고, 한조의 존재에 관해 물어볼 사람은 오직 천예무뿐이었다.

결국 천소유는 작년 어느 날 부친에게 한조의 행적에 관해 물었고, 천예무는 냉정한 어조로 말했다.

-네가 알 필요가 없는 일이다.

언제나 그랬다.

천소유의 부친은 그녀에게 한없이 냉랭했다. 필요할 때는 그 누구보다도 그녀를 사랑하고 아끼며 위하는 척하지만, 필요가 없을 때는 진짜 친자식일까 하는 의문이 들 정도로 서늘하게 대했다.

물론 천휘수가 죽은 이후 부친은 예전보다 연약해져서 가끔 천소유 앞에 온전하게 자신의 감정을 드러내 보이기는 하지만, 그건 어디까지나 술에 취했을 때나 혹은 너무나도 피곤해서 비몽사몽일 때나 있는 일이었다.

하지만 천소유는 그런 부친을 진심으로 사랑하고 존경

했다.

그러니 행여 부친이 조금이라도 잘못된 길을 걷지 않기를 바랐다. 역모라든가 하는 일과는 전혀 무관하기를 바라고 또 바랐다.

천예무가 북경부에서 돌아온 건 유월 말의 일이었다.

태극천맹으로 돌아가지 않고 건곤가에서 계속 기다리고 있던 그녀는 천예무가 돌아오자마자 곧바로 달려가 그간 상황을 이야기한 후 놈들의 뒤를 쫓아야 한다고 말했다.

천예무는 잔뜩 피곤한 얼굴로 옷을 벗으면서 말했다.

"조금이라도 숨을 돌리고 이야기하자. 내일 저녁 정도가 좋겠구나."

여전히 평온하고 침착한 모습으로 천예무는 마치 남의 이야기를 하듯 그렇게 말했다.

"아버님!"

천소유는 주먹을 불끈 쥐며 말했다.

"장예추가 있었다니까요! 오라버니를 살해한 바로 그 장예추라고요!"

"소리 지르지 않아도 잘 들린다. 그리고 이미 알고 있는 사실이다."

천예무는 치격(絺綌:칡베로 만든 옷)으로 갈아입으며 말했다.

"놈들은 북경부로 향했고, 현재 황궁에서 황태자를 알현하고 있을 것이다."

"네?"

천소유의 눈이 커졌다.

그녀가 강만리의 마차에서 내린 지 벌써 십여 일이 흘렀으니, 시간상 그들이 북경부에 입성한 건 충분히 가능한 일이었다.

하지만 황궁을 찾아가 황태자를 알현하다니.

'아. 강만리가 그때의 역모 사건을 해결했다고 했지?'

순간적으로 천소유의 뇌리에 떠오른 생각이었다. 그렇다면 황태자 주완룡과도 면식이 있을 테니 그를 만나는 건 이해할 법한 일이었다.

'그렇다고 일개 백성이 감히 제멋대로 황궁에 들러서 황태자를 만날 수가 있나?'

천소유가 의아해할 때였다.

치격 홑옷으로 시원하게 갈아입은 천예무는 자리에 앉아 시녀가 가지고 온 산매탕(酸梅湯)을 천천히 마셨다. 천소유가 황급히 맞은편 자리에 앉자, 시녀가 그녀 앞에도 산매탕을 내려놓았다.

산매탕은 오매, 산사나무 열매, 감초, 계화꽃 등 온갖 약재와 설탕을 넣고 함께 끓였다가 식혀서 마시는, 무더운 여름을 잘 나기 위한 고급 음료였다.

산매탕 한 모금으로 더위를 식히고 한숨도 돌린 천예무는 가만히 자신의 딸을 바라보았다.

이미 오래전에 과년(過年)한 딸이다. 일반적으로 무림의 여인들이 여염집 처자들보다 혼기가 늦다고는 하지만 낼모레면 서른의 나이였으니, 그의 딸은 늦어도 너무 늦었다.

'손자를 볼 수 없다면 외손자라도 봐야 할 텐데.'

천예무는 문득 그런 생각을 하다가 저도 모르게 인상을 찡그렸다.

나이가 든 것일까. 아니면 피곤한 까닭인가.

평소에는 전혀 하지 않던 감상적인 생각에, 천예무는 더욱 안색을 싸늘하게 굳히며 입을 열었다.

"돌아오는 길에 암영단 아이들로부터 급전을 받았다. 막 강만리가 황궁에 입궁했다고 말이지."

천소유는 산매탕에 손도 대지 않은 채 천예무를 똑바로 바라보며 귀를 기울였다.

"북경부에서 몇 가지 추진하던 일이 있었는데, 하필이면 그 녀석이 찾아온 게지. 자칫 모든 일이 꼬이고 뒤틀릴지 모르겠다."

부친의 말에 천소유의 가슴이 한순간 서늘해졌다. 떠올리고 싶지 않은 단어 몇 개가 그녀의 뇌리를 어지럽히기 시작했다. 절로 등골에 식은땀이 배였다.

그 표정과 태도를 오해한 것일까. 천예무는 조금 누그러진 표정을 지으며 말을 이었다.

"네가 걱정할 건 없다. 이미 조치를 취했으니까. 이번에는 그 녀석이 제멋대로 활약할 수 없을 것이다. 아니, 제멋대로 활약한다 할지라도 그건 또 그것대로 나쁘지 않을 테니까."

의미를 전혀 이해할 수 없는 이야기를 끝낸 천예무는 새콤달콤한 산매탕을 단숨에 들이켜고는 천천히 입을 열었다.

"그리고 장예추라는 놈은……."

천예무는 차분하고 무심한 어조로 말했다.

"다른 녀석들은 몰라도 그놈만큼은 반드시 내 손으로 죽일 것이다. 그러니 안심하도록 해라."

천소유는 가만히 그를 쳐다보다가 불쑥 물었다.

"설마 역모를 꿈꾸는 건 아니시겠죠?"

그렇게 묻는 순간 그녀의 가슴이 쿵쾅거렸다.

천예무의 표정은 달라지지 않았다. '나를 어찌 보느냐!'며 화를 내지도 않았고, '그걸 어찌 알았느냐?' 하고 놀라거나 당황하지도 않았다.

천예무는 그저 평온하고 태연한 눈빛으로 무심하게 천소유를 바라보다가 천천히 입을 열었다.

"네 생각은 어떠냐? 내가 역모를 꿈꾼다고 생각하느냐?"

그는 대답 대신 외려 천소유에게 공을 넘겼다. 천소유는 가만히 부친을 바라보다가 고개를 저으며 말했다.

"아뇨. 아버님의 야망은 오직 무림쟁패(武林爭霸) 군림천하에 있다고 생각해요."

그녀의 확신에 가득 찬 대답을 들은 천예무는 천천히 미소를 지었다. 그리고 다정한 목소리로 말했다.

"그래, 잘 봤다. 내 야망은 천하에 있지, 황궁에 있지 않다."

천소유는 속으로 안도의 한숨을 내쉬며 말했다.

"죄송해요. 괜히 엉뚱한 질문을 드려서. 아버님께서 예전부터 북경부에 자주 가시는 것 같아서 혹시 했거든요."

"무림의 일을 진행하다 보면 관가와 부딪치고 이해관계가 상충되는 경우가 왕왕 있지. 그걸 해결하는 가장 좋은 방법은 황궁의 높은 사람들과 인맥을 쌓고 관계를 맺는 게다."

천예무는 친절하게 설명했다.

"하지만 한 번 관계를 맺었다고 해서 그게 오랫동안 유지되느냐 하면 그건 또 아니거든. 눈에서 멀어지면 마음도 멀어지는 법, 그렇게 멀어지기 전에 찾아가 선물도 주고 이야기나 부탁도 들어줘야 관계가 유지되는 게다. 어쨌거나 그들이 갑(甲)이고 우리가 을(乙)이니, 자존심이 무너지고 체면이 손상되지 않는 한에서 할 수 있는 건 최대한 해 줘야 하지. 그래서 북경부에 가는 게다. 이번 출타도 그러했고."

천소유는 천예무의 이야기를 듣다가 문득 한조를 떠올렸다. 한조가 태자 전하의 수발을 든 것도 역시 그 관계를 유지하는 방법 중 하나였으리라.

천소유는 꿈과 희망 속에서 살아가는 어린아이가 아니었다. 그녀는 지난 십여 년간 강호에서 뒹굴며 온갖 추저분하고 더러운 광경을 지켜보았다.

세상은 공정(公正)의 법칙으로 돌아가는 게 아니라 이익과 분배, 협상과 거래를 통해서 움직인다는 사실도 알고 있었다.

그녀는 자신의 부친을 이해했다. 고고하고 드높은 자존심을 굽혀 가면서 저들에게 자신의 수하들을 육욕(肉慾)의 노예로 건네야만 하는 부친의 속내를 이해할 것 같았다.

"내일 다시 북경부로 떠날 것이다."

천예무가 시녀에게 산매탕 한 그릇을 더 주문한 뒤 천소유를 향해 입을 열었다.

"원래 급전을 받자마자 말을 돌리려 했지만, 가문의 밀린 일들도 처리해야 하니까."

천소유는 늙은 부친의 얼굴을 쳐다보았다. 주름이 굵고 백발이 성성했다. 언제나 강건하기만 하던 부친의 눈동자에 스며든 피로의 빛이 그녀의 가슴을 아프게 만들었다.

늙은 부친은 시녀가 가지고 온 산매탕을 마신 후 가볍게 한숨을 쉬며 입을 열었다.

"금해가로부터 오대가문의 긴급 총회를 열겠다는 연락이 왔더구나. 그것도 본 가에서 말이지. 훗, 나를 괄시하고 무시할 때는 언제고…… 내 힘이 필요하게 되니 결국 이리 굽실거리는구나. 세상일이라는 게 다 이렇단다, 소유야."

천소유는 조그맣게 대답했다.

"알고 있습니다."

"좋아. 그 건에 대한 처리는 네게 맡기마. 내가 북경부에서 돌아올 때까지 제대로 진행시켜라."

"알겠습니다. 그럼 편히 쉬세요."

"아, 저녁 식사는 함께하자꾸나. 오래간만에 우리끼리 말이다."

천소유는 자리에서 일어나다가 멈칫거리며 부친을 바라보았다. 평소와는 달리 인지하고 부드러운 목소리였던 게다.

그녀는 살짝 떨리는 목소리로 대답했다.

"네, 그럴게요. 아버님."

그녀는 인사를 하고 돌아서 객청을 나섰다. 창을 통해 그녀가 정원을 지나 월동문을 빠져나가는 걸 물끄러미 지켜보던 천예무의 얼굴은 천천히 변했다.

"그래서 너는 안 되는 게다, 소유야."

천예무는 얼음처럼 차갑고 바늘처럼 날카로운 눈빛으로 월동문을 바라보며 중얼거렸다.

"이 아비의 야망이 겨우 그깟 무림으로 만족할 거라고 생각하다니. 아비를 몰라도 너무나 모르고 있구나."

천예무는 산매탕을 다 비웠다. 시녀가 조심스레 다가와 공손하게 여쭈었다.

"한 그릇 더 올릴까요?"

천예무는 말없이 시녀를 바라보았다.

허리 숙인 시녀의 탱탱한 젖무덤이 눈에 가득 들어왔다. 허리는 잘록하고 엉덩이는 펑퍼짐한 것이 애를 가지면 쑥쑥 잘 나을 것 같았다.

"네가 올해로 몇 살이지?"

천예무의 느닷없는 질문에 시녀는 얼굴을 빨갛게 물들이며 대답했다.

"열일곱이옵니다."

"좋을 때다."

천예무는 고개를 끄덕이며 말했다.

"산매탕은 됐다. 가서 총관을 불러오거라."

"네, 가주."

시녀는 몸을 돌려 객청을 빠져나갔다. 치맛단 사이로

보이는 종아리가 유난히 가늘고 하얗게 드러났다.

"외손자는 무슨."

천예무는 팔짱을 찌며 중얼거렸다.

"아직 나는 젊다. 그러니 외손자를 기다리느니 늦둥이를 보는 게 더 빠를 게야."

천예무는 지그시 눈을 감았다.

십 대 후반에서 이십 대 초반이 좋겠다. 그 나이 또래가 아주 건강하게 아이를 낳을 테니까.

무공이 뛰어나지 않아도 상관없었다. 다만 무공으로 유명한 가문의 여식이어야 하고, 또한 자질만큼은 더없이 뛰어나야 했다. 자식의 자질은 아버지보다 어머니에게서 물려받을 공산이 크다 했으니.

"그럼 누가 좋을까?"

천예무는 눈을 감은 채 죽은 천휘수를 대신할 늦둥이의 예비 모친을 하나둘씩 떠올리기 시작했다.

'가만있자, 초 가주의 손녀가 몇 살이더라? 정혼자가 있다고 했었나? 뭐 그건 상관없기는 하지만…….'

3. 암습(暗襲)

그건 강만리가 태자비를 알현하고 있을 무렵의 일이었다.

조기(弔旗)를 든 병사들이 황급히 궁내로 들어섰다. 그들은 환관들의 안내를 받아 곧장 황제를 알현했으며, 그들로부터 소식을 들은 황제는 손톱으로 팔걸이를 긁으며 "어혁!" 하고 큰 탄식을 흘렸다.

그들이 가지고 온 소식은 이내 황궁 전역에 퍼졌다.

"삼황자 주건이 돌아가셨답니다!"

환관들은 앞다퉈 제 주인들, 상관들에게 소식을 전했고 그 충격의 물결은 동궁 서궁 할 것 없이 일파만파로 퍼져나갔다.

소식을 들은 황후가 쓰러졌다는 소문이 들렸다. 아직도 주건을 옹호하는 대신들이 어느 한 공간에 비밀리에 모일 거라는 소문도 퍼졌다. 궁내의 분위기는 흉흉해졌고 심상치 않는 기류가 흐르기 시작했다.

한편 미처 그 소식을 듣지 못한 채 태자비 궁을 나선 강만리 일행은 곧바로 황태자 주완룡을 찾아가 입을 맞춰 달라고 부탁했다.

주완룡은 팔걸이에 팔을 얹고 턱을 괸 채 하염없이 슬픈 표정을 지은 채 강만리의 이야기를 들었다. 강만리는 뭔가 수상쩍다는 생각을 하면서 이야기를 마쳤다.

주완룡은 잠시 강만리를 지켜보다가 그 이유를 묻지도 않은 채 고개를 끄덕였다. 그의 입가에 떠오른 미소가 왠지 씁쓸하게 느껴졌다.

그렇게 짧은 알현을 마치고 태자궁을 나선 강만리는 뜨겁게 내리쬐는 햇살에 눈을 찌푸리며 투덜거렸다.

"젠장! 빌어먹을!"

담우천이나 장예추, 화군악 모두 그가 누구에게 욕설을 퍼붓는지 잘 알고 있었다.

작열하는 태양 아래에서 잠시 갈 길을 잃은 듯 우두커니 멈춰 서 있던 강만리는 다시 정신을 차리고 의형제들을 둘러보며 입을 열었다.

"형님은 저와 함께 동창에 가서 그 소 첩형관인지 뭔지 하는 작자를 만납시다. 그리고 너희들은 해가 질 때까지 푹 쉬었다가 그 빌어먹을 궁녀들의 뒤를 쫓아 입을 열게 해라."

물론 장예추와 화군악은 이번에도 역시 그 빌어먹을 궁녀들이 누구인지 잘 알고 있었다.

태자비 옆에서 부채질을 하며 틈이 날 때마다 귀엣말을 전하던, 결코 평범한 궁녀라고 할 수 없는 고강한 무위를 풍기던 궁녀들.

"아마도 그 계집들이야말로 과거 사천당문에서 황천몽연을 비롯한 절독과 암기들을 빼낸 조직의 일원일 것이다. 그녀들을 취조해서 그 조직이 확실히 건곤가인지, 그리고 조직의 인물들이 얼마나 이 궁내에 잠입해 있는지 알아내야 한다. 무슨 수를 써서라도 말이다."

그렇게 말하는 강만리의 얼굴은 딱딱하게 굳어 있었다.

어쩌면 강만리에게 있어서 주완룡과의 관계는 사적으로 조금은 친한, 하지만 결코 그 선을 넘을 수 없는 군신(君臣)에 불과하다고 말할 수 있었다.

하지만 그런 주완룡의 입가에 처연한 미소가 매달리는 걸 본 순간, 강만리의 가슴은 찢어질 것만 같았다.

믿을 수 없게도 강만리는 지금 자신의 가족이 당한 것 이상이나 분하고 화가 나고 살기가 솟구쳐 올랐다.

비록 강만리는 잘 모르고 있었지만, 그는 주완룡에게 그 누구보다도 존경하고 충성을 바치는 인물일 수 있었다.

"무슨 수를 쓰더라도 말이죠?"

화군악이 확답을 듣고 싶다는 듯이 그렇게 묻자, 강만리는 냉혹한 표정을 지으면서 고개를 끄덕였다.

"그래. 설령 죽이는 한이 있더라도 말이다."

황궁 내에서 일반 백성이 살인을 저지른다는 건, 그것도 태자비를 지근거리에서 모시는 궁녀를 살해한다는 건 삼족이 멸하는 중죄에 가까웠다.

강만리는 지금 화평장의 모든 식구들이 목숨을 잃을지도 모르는 밀명(密命)을 내리고 있었다.

화군악의 표정도 결연해졌다.

"알겠습니다. 반드시 그 답을 듣고 오겠습니다."

장예추도 고개를 끄덕이며 말했다.

"왜 나를 죽이려 드는지도 말이죠."

그렇게 강만리 일행이 대화를 나누며 월동문을 돌아 나갈 때였다.

환관 한 명이 월동문 안쪽에서 달려 나와 강만리 일행을 엇갈려 지나치다가 문득 걸음을 멈추고는 강만리를 불러 세웠다.

"거기 강 대협이 아니십니까?"

강만리 일행은 도둑 제 발 저리는 것처럼 절로 뜨끔한 기색을 보이며 뒤돌아보았다.

"무슨 일이오?"

환관은 꽤 바쁘게 돌아다닌 듯 숨을 몰아쉬며 다가와 허리를 숙이곤 입을 열었다.

"혹시 들으셨습니까?"

강만리는 눈을 동그랗게 뜨고 되물었다.

"뭘 말이오?"

"아, 역시 모르고 계셨군요. 어째 강 대협의 표정이 평소와 다를 바가 없다고 생각했었는데."

"응? 도대체 뭘 말하는 것이오?"

"그게 말입니다……."

환관은 한 차례 주위를 살피고는 강만리에게 바짝 다가서며 목소리를 낮췄다.

"삼황자 주건께서 자결하셨답니다."

"응?"

일순 강만리는 깜짝 놀라 저도 모르게 움직임을 멈췄다.

삼황자 주건이라면 그 유명한 황궁 연쇄살인 사건과 역모 사건의 주범이고, 그 벌을 받아 돌아올 수 없는 먼 곳으로 유배를 떠난 상태였다.

그런 주건이 스스로 목숨을 끊다니.

환관은 더욱 강만리에게 다가서며 아주 낮은 목소리로 소곤거렸다.

"열흘 전의 일이라고 합니다. 대들보에 목을 매다셨다더군요."

"열흘 전?"

강만리는 고개를 갸웃거렸다.

"그런데 왜 이제 그 소식이 전해진 것이오?"

"풍랑이 심해서 배가 떠나지 못했다더군요."

"아니, 전서구나 뭐 그런 것도 없었답디까?"

"자세한 건 모릅니다만…… 한 가지 수상쩍은 소문이 떠돌고는 있습니다."

"그게 무엇이오?"

"그게 그러니까……."

환관은 겁에 질린 듯 목소리를 더욱 낮췄다. 강만리는 그 속삭이는 목소리를 듣기 위해서 몸을 기울여 환관의 입에 귀를 가져다 댔다.

환관이 나직하게 소곤거렸다.

"세상에는 강 대협이 살아 있는 걸 원치 않는 분이 계시답니다."

그 엉뚱한 말에 강만리의 좁쌀만 한 눈이 동그래졌다.

그가 놀라 고개를 돌려 환관의 얼굴을 보려는 순간, 환관이 "훅!" 하고 강만리의 귀에 입김을 불었다. 환관의 입에서 날카로운 독침이 가래침처럼 튀어나왔다.

그 절체절명의 순간!

"위험하다!"

"이런!"

"놈!"

담우천과 화군악, 장예추가 동시에 소리치며 손을 뻗었다.

담우천은 빠르게 강만리의 뒷덜미를 낚아채며 당겼고, 화군악은 환관의 옆구리를 가격했으며, 장예추는 손바닥으로 환관의 얼굴을 후려쳤다.

놀랍게도 그들의 손은 환관의 입김보다 빨랐다.

담우천은 환관이 '훅!' 하는 순간 이미 강만리를 낚아챘다. 또한 장예추와 화군악의 일격으로 몸이 뒤틀리고 고개가 홱 돌아간 환관의 입에서 튀어나온 독침은 엉뚱한 방향으로 날아갔다.

"컥!"

뒤늦게 환관이 피를 토하며 바닥에 고꾸라졌다.
“이 자식이 어디에서 감히 암습을!”
성난 화군악이 환관의 멱살을 쥐고 일으켜 세웠지만 이미 때는 늦었다. 환관은 독침을 발사하는 동시에 입안에 머금고 있던 독물을 삼켰고, 순식간에 절명한 후였다.
“환관의 낯이 익습니까?”
장예추가 물었다.
강만리는 너무나 갑작스레 벌어진 상황에 놀라고 당황한 듯 멍한 표정을 짓고 있다가 장예추의 물음에 화들짝 정신을 차리고 재차 환관의 얼굴을 바라보았다. 독물에 중독된 환관의 얼굴색은 이미 시커멓게 변해 있었다.
“아니, 그리고 보니 처음 보는 얼굴이네.”
강만리의 말에 화군악이 혀를 찼다.
“쯧쯧, 생전 처음 보는 환관을 상대로 그렇게 무방비 상태로 가까이 가면 어쩌자는 겁니까?”
“설마 입에 독침을 넣고 기다릴 줄 누가 알았겠냐?”
“그나저나 누구지? 대낮에, 그것도 황궁 내에서 이렇게 대담한 짓을 벌일 자가?”
담우천의 말에 강만리는 입술을 깨물며 생각하다가 문득 입을 열었다.
“놈은 내가 살아 있기를 원치 않아 하는 분이 있다고 말했습니다.”

화군악이 고개를 끄덕이며 말을 받았다.

"뭐, 그럴 사람이 어디 한두 명이겠습니까?"

강만리는 화군악을 한 차례 노려보고는 말을 이었다.

"어쨌든 이자의 신분을 확인하는 게 우선…… 헉!"

강만리는 말을 하다가 말고 깜짝 놀라며 환관을 바라보았다. 환관을 일으켜 세웠던 화군악도 앗, 뜨거라! 하듯 황급히 그를 밀쳐 냈다.

꾸르륵.

믿을 수 없게도 환관은 부글부글 거품을 내면서 녹아내리더니, 이내 검붉은 액체로 변해 지면을 흥건하게 적셨다.

"스스로 산골독을 먹었구나."

화군악은 그렇게 중얼거리다가 부르르 몸을 떨었다.

산골독은 말 그대로 시체를 녹여 한 줌 물로 만드는 극독이었다. 근육과 살, 뼈까지 단숨에 녹일 정도로 지독한 만큼 살아서 그 산골독을 먹으면 목구멍을 비롯하여 오장육부가 타들어 가는 지옥과도 같은 고통을 겪게 된다.

이 환관은 자신이 그런 고통을 겪을 걸 알면서도 스스럼없이 산골독을 복용한 것이다. 도대체 얼마나 지독하고 강인한 정신력이란 말인가.

"그만큼 이자가 속한 조직의 위세가 무섭다는 거겠지. 임무에 실패하면 가차 없이 목숨을 버릴 정도로."

담우천의 말에 강만리는 문득 생각났다는 듯 고개를 갸웃거리며 입을 열었다.

"설마 살수 조직의 인물일까요?"

"왜 그리 생각하나?"

"만약 강호의 문회방파 소속이라면 산골독을 복용하느니 차라리 혀를 깨물거나 천령개(天靈蓋)를 부수는 쪽으로 자결하는 게 일반적이지 않겠습니까?"

"흠."

"독을 사용하여 자결하는 부류라면 확실히 살수 조직의 인물일 가능성이 큽니다."

"저도 그렇게 생각합니다."

장예추가 고개를 끄덕이며 말했다.

"이자가 이렇게까지 가까이 다가올 때까지 우리가 전혀 의심하지 않았던 건, 이자의 기척에서 무공을 익힌 흔적이 전혀 없었기 때문입니다. 강호의 문회방파 소속이라면 무공을 전혀 익히지 않았을 리가 없겠죠."

"아."

장예추의 이야기를 듣던 담우천이 문득 생각난 바가 있다는 듯이 고개를 끄덕였다. 사람들의 시선이 그에게로 향했다.

담우천은 눈을 가늘게 뜨며 입을 열었다.

"들은 바가 있네. 무공을 익히지 않은 일반 백성들이

살수 조직원이 되어 암살하는 집단이 있다고 말이지."

화군악과 장예추는 처음 들어 본다는 얼굴로 그에게 물었다.

"그게 어딥니까?"

담우천은 더없이 진지한 얼굴로 대답했다.

"은자림."

"네?"

"은자림이라고요?"

화군악과 장예추는 믿을 수 없다는 투로 말했다.

"아니, 은자림이라면 이미 무림을 떠나 은거한 무림 고수들이 조직한 살수 집단이 아닙니까?"

"저도 그리 들었습니다만."

"나도 그리 알고 있었네."

두 사람의 말에 담우천은 천천히 고개를 끄덕이며 말했다.

"그리고 물론 그 이야기도 사실일 거네. 즉, 수뇌부들은 은거한 무림 고수들인 게 맞지만, 일반 은자림의 살수들은 무공을 익히지 않은 평범한 사람들이라는 거네. 과거 사선행수 시절 때 우연히 그런 이야기를 들은 바가 있지."

"으음. 어쩌면 그게 왜 은자림의 청부 성공률이 높은지 설명해 줄 수 있는 대목이겠군요."

장예추는 어느 정도 이해가 간다는 듯이 중얼거렸다.

"무림 고수들은 그 무엇보다도 상대의 무위에 신경을 쓰고 본능적으로 반응하죠. 즉, 상대가 무공을 익히지 않은 게 확실하다면 지금의 우리처럼 방심하고 틈을 보이게 되니까요. 그 방심과 틈을 이용하여 독과 암기로 암살한다면…… 아무리 무림의 고수라 할지라도 결국 당할 수밖에 없을 테니까요."

강만리는 황급히 고개를 끄덕였다.

그 또한 담우천과 장예추, 화군악의 도움이 아니었다면 환관이 쏘아 날린 독침으로 의해, 귓전으로 철철 피를 흘린 채 영문도 모르고 죽임을 당했을 테니까.

설령 호신강기로 몸 주위를 철저하게 보호하고 있다 하더라도 마찬가지였을 것이다.

귓구멍이나 콧구멍, 입과 항문 등은 그 호신강기의 힘이 닿지 않는 곳이었다. 그리고 저 무공을 익히지 않은 암살자는 그 틈을 파고들어서 독침을 날리는 것이니, 그야말로 초절정에 이른 고수라 할지라도 한순간에 목숨을 잃을 수밖에 없었다.

"그럼 이제 어쩌죠? 은자림까지 우리를 노리고 있는 걸 알게 되었는데."

화군악의 말에 강만리가 당연하다는 듯이 대꾸했다.

"우선 이야기한 대로 너희들은 돌아가서 휴식을 취한

다음 궁녀들을 취조하도록 하고, 우리는 역시 예정대로 소 첩형관을 만나는 거다."

어느새 평정을 되찾은 강만리는 무심한 어조로 말을 이었다.

"다들 대화만 하는 거다. 알겠지?"

강만리의 말에 화군악과 장예추는 당연하다는 듯한 표정을 지으며 대답했다.

"물론이죠."

"대화만 하는 겁니다."

2장.
악연(惡緣)

'역시, 이 자식.'
강만리가 속으로 중얼거렸다.
'태자비와 무슨 관계가 있구나.'

1. 감회(感懷)

강만리를 독침으로 암습하려 했던 환관은 영원히 사라졌다. 그가 조금 전까지 이 자리에 서 있었다는 걸 증명해 줄 만한 건 아무것도 없었다.

심지어 그가 입고 있던 관모(官帽)와 관복(官服)도 녹았으며, 그렇게 녹아내린 검붉은 액체 또한 땅으로 스며들어 그저 붉은빛 흔적만이 남아 있을 뿐이었다.

실로 무시무시한 산골독이었다.

"이렇게 지독한 산골독은 처음일세. 아마 묘강 독문의 탈백소기독(奪魄消肌毒)이 이 정도 독성을 가지고 있지 않을까 싶네."

화군악, 장예추와 헤어진 후 동창으로 가는 길목에서 담우천이 강만리에게 그렇게 말했다.

혼(魂)과 백(魄)은 사실 반대되는 개념이라 할 수 있었다.

사람이 죽으면 혼은 하늘로 올라가고 백은 땅으로 돌아간다. 시신을 화장(火葬)할 때 하늘로 오르는 연기는 곧 혼이며 남는 재가 바로 백인 셈이다.

혼이 정신, 기(氣)라면 백은 육체, 념(念)이라 할 수 있었다.

그러므로 탈백(奪魄)은 넋을 빼앗는다는 의미가 아니다. 넋을 빼앗는 건 탈혼(奪魂)이고 탈백은 육체를 소멸시킨다는 뜻이다.

소기(消肌)의 기(肌)는 살, 근육, 피부, 몸, 육체를 뜻하는 말이니 소기 역시 육체가 사라진다는 의미인 게다.

탈백소기독은 묘강 독문이 자랑하는 산골독이었다. 시신 위로 한 방울 떨어뜨리면 셋을 헤아리기도 전에 부글부글 끓어오르면서 녹기 시작하고, 스물을 헤아리는 동안 살점과 뼈와 근육, 그리고 머리카락까지 모두 녹여서 한 줌의 액체로 만든다고 알려졌다.

그 현상만 보자면 확실히 저 암살자가 사용한 산골독은 묘강 독문의 탈백소기독일 가능성이 컸다.

하지만 강만리는 어디까지나 신중했다.

"그럼 탈백소기독 말고 그 정도로 강력한 산골독은 또 없습니까?"

"그건 또 아니네."

담우천은 천천히 발길을 옮기며 말했다.

"살수 조직들이 제일 신경 쓰는 것 중 하나가 바로 암살한 시신을 어떻게 처리하느냐 하는 부분이니까. 물론 그 자리에 놔둘 수도 있겠지만 대부분 그 흔적조차 깨끗하게 지워 달라는 게 청부자들의 조건이거든. 그래서 대부분의 살수 조직은 산골독에 상당한 조예를 지니고 있네. 그러니 살수 집단 독자적으로 저 탈백소기독보다 더 강력한 산골독을 만들어 냈을 수도 있겠지."

그런 대화를 나누는 동안 두 사람은 어느덧 동창 어귀에 다다랐다. 동창 입구에서 경비를 서고 있던 동창 무사들이 그들을 보고는 눈을 부릅뜨며 가로막고 나섰다.

강만리는 품에서 증패를 꺼내 보였다. 황태자 주완룡이 지시하고 사보 대학사 조자헌이 만들어 준 태자밀위(太子密衛)의 증패였다.

동창 무사들은 그 증패를 확인하고는 움찔하며 표정이 달라졌지만 그래도 길을 비켜서지는 않았다.

"태자밀위께서 무슨 일로 동창을 방문하셨소이까?"

말투도 거만하고 딱딱했다.

태자밀위란 태자를 호위하며 태자를 대신하여 그의 명

을 수행하는 자들을 가리켰다. 즉, 태자밀위의 말은 태자의 말과 다름이 없었다.

그러니 지금 이 동창 무사들은 감히 태자, 그것도 황태자 주완룡의 앞을 가로막고 있는 셈이었다.

'양옹의 실각 이후로 움츠러들었던 동창이 언제부터 다시 이렇게 기세등등해졌을까?'

강만리는 그렇게 생각하며 천천히 입을 열었다.

"소 첩형관을 만나러 왔소."

동창 무사가 경계하듯 물었다.

"약속은 하고 오신 겁니까?"

"태자의 명을 받고 왔소."

"약속을 하셔야 만날 수 있습니다."

'허어.'

강만리는 눈을 가늘게 떴다.

일부러 태자를 언급했음에도 불구하고 동창 무사들은 완강하게 버티고 있었다.

"무례하구나!"

강만리가 호통을 치며 말했다.

"본 위장(衛將)의 말은 곧 황태자의 말씀이시다. 내가 소 첩형관을 만나고자 하는 건 곧 황태자께서 만나려 하는 게다. 그런데 어찌 따로 약속을 잡아야 한다고 말을 하는 것이냐? 썩 길을 트지 못할까!"

강만리의 위엄 넘치는 호통에 동창 무사들은 움찔거렸다. 하지만 그들은 결코 길을 열지 않았다. 외려 강만리를 노려보며 딱딱한 어조로 말했다.

"미리 약속하지 않은 자는 설령 황후 마마라 할지라도 막아서라는 게 제독태감의 명이십니다."

'아하!'

강만리는 그제야 내심 고개를 끄덕였다.

'새로 임명된 제독태감의 배후가 황후라고 했지? 그래서 일부러 황제 폐하도, 황태자 전하도 아닌 황후 마마를 들먹이며 어깃장을 놓고 있는 거겠고.'

강만리는 가볍게 눈살을 찌푸리며 입을 열었다.

"태자 전하의 명령을 듣지 않은 죄, 당연히 목숨을 버릴 각오는 하고 있겠지?"

그가 서리서리 살기를 뿜어내자 기세등등하기만 하던 동창 무사들도 당황한 듯 서로를 돌아보았다.

하지만 그들은 여전히 길을 막고 있었으며, 강만리는 더는 기다려 줄 필요가 없다는 듯이 성큼성큼 앞으로 걸어 나갔다.

거리가 좁혀지자 일순 동창 무사들이 화들짝 놀라며 반사적으로 강만리를 향해 창과 칼을 겨눴다.

강만리는 기다렸다는 듯이 크게 소리쳤다.

"감히 태자밀위에게 무기를 겨눠? 이자들 모두 잡아다

가 하옥시키도록 하시오!"

뒤따르던 담우천은 속으로 피식 웃으면서도 겉으로는 공손하게 대답했다.

"위장의 명을 받듭니다."

담우천이 강만리의 앞으로 나서자, 동창 무사들의 창과 칼이 그에게로 향했다.

담우천은 가볍게 손을 뻗었고 동창 무사들은 본능적으로 무기를 휘두르려 했다.

다음 순간, 동창 무사들의 눈이 휘둥그레졌다. 자신들도 인지하지 못한 사이에 그들의 무기는 담우천이 빼앗아 들고 있었다.

"어?"

동창 무사들이 순식간에 텅 비어 버린 제 손을 내려다볼 때, 담우천이 한 걸음 더 나아가 그들을 지나치며 뒷덜미를 손등으로 가볍게 후려쳤다.

동창 무사들은 비명도 신음도 지르지 못한 채 그 자리에 고꾸라졌고, 담우천은 그들의 옆에 창과 칼을 던져 주었다.

너무나도 어이가 없을 정도로 순식간에 벌어진 일이었다.

사실 뒷덜미를 얻어맞고 기절한 동창 무사들의 실력은 이렇게 아무렇게나 나가떨어질 정도는 아니었다. 비록 경비를 서는 하급 무사이기는 하지만, 이곳 황궁에 머무는 동창 무사들은 최소한 일류 고수 이상의 수준이었다.

동창 무사들이 끝까지 강만리의 앞길을 막고 있던 것은 물론 제독태감의 명령이 있어서이지만, 무엇보다 자신들의 실력을 믿고 있었기 때문이었다.

이렇게 일격에 쓰러질 거라고는 전혀 상상조차 하지 않았을 그들이었다.

"가시죠, 위장 나리."

담우천이 한 손을 내밀며 강만리에게 말했다. 강만리는 머쓱한 표정을 지으며 웃었다.

"고맙소, 담 밀위."

두 사람은 피식 미소를 짓고는 쓰러진 동창 무사들을 지나 동창의 집무실이라 할 수 있는 선무청(宣撫廳)을 향해 걸음을 옮겼다.

동창 무사들이 비명이나 고함이라도 질렀다면 안에 있는 무사들이 튀어나왔을 텐데, 동창의 다른 무사들은 입구에서 그런 소란이 벌어진 줄 전혀 모르고 있는 모양이었다.

선무청 입구에는 패방(牌坊)이 하나 있었는데, 패방에는 백세유방(百世流芳)이라는 글귀가 적혀 있었다.

그 글귀는 동창을 처음으로 만든 당대(當代) 황제의 친필(親筆)로, '아름다운 이름이 백 대에 전해진다'라는 의미가 담겨 있었다.

'예전과 다르지 않군.'

강만리는 그 패방 앞에서 잠시 걸음을 멈추고는 주위를 둘러보았다. 선무청의 기와나 단청(丹靑)도 전혀 달라지지 않았다.

감회 어린 표정으로 선무청 주변을 둘러보던 강만리는 문득 떠오른 생각에 고개를 갸웃거렸다.

'그리고 보니 그때 이곳 선무청에 들렀을 때에는 경비 무사가 없었던 것 같았는데.'

확실히 당시에는 천하를 호령하는 동창이었기에 감히 누가 함부로 들어올 수 있겠느냐는 자신감과 긍지의 상징처럼 경비 무사를 두지 않았다.

동창의 세력이 예전만 못하다는 뜻일까. 아니면 이번 제독태감은 당시 창주(廠主:제독태감의 또 다른 호칭)였던 양옹보다 소심한 것일까. 혹은 양옹보다 더 세심하고 면밀한 것일까.

강만리는 그런 생각을 하면서 선무청에 발을 디뎠다.

"몇 층이라 하셨죠?"

강만리의 물음에 담우천이 공손하게 대답했다.

"이 층 구석진 방입니다."

"아휴, 이제 그만하세요."

"혹시 모르는 일입니다. 낮말은 새가 듣고, 밤말은 쥐가 듣는 법이니까요."

담우천은 어디까지나 공손했다.

하기야 지금 그들이 지닌 증패에 의하자면 강만리는 태자밀위의 수장인 위장이고, 담우천은 일개 밀위에 해당했으니 당연히 존칭을 해야 마땅했다. 또 그랬기에 조금 전 강만리가 담우천에게 명령을 내렸던 것이고.

그런데 담우천은 그런 상황을 즐기고 있는 듯했고, 그게 강만리를 자꾸 머쓱하게 만들었다.

강만리는 한숨을 쉬며 말했다.

"알겠습니다. 하지만 동창 벗어나면 예전대로 대하시는 겁니다?"

"물론입니다, 위장."

담우천이 미소를 지으며 말하자 강만리는 재차 한숨을 쉬고는 다시 걸음을 옮겼다.

원래 선무청은 삼 층 전각으로, 그 안에 있는 수십 개의 방은 최소한 당두(檔頭)와 백호(百戶) 이상의 고위급 무사들의 집무실로 사용되었다.

동창의 우두머리는 제독태감으로, 그 밑으로 두 명의 첩형관이 있어서 동창의 대소사를 관장했다.

무력을 행사할 필요가 있을 때 동창의 병사를 지휘하는 이가 천호(千戶)였으니, 그가 바로 우첩형(右貼刑)이었다.

반면 정보를 수집하고 역모나 비리를 감시하는 임무를 지닌 조직은 좌첩형(左貼刑)이 수장을 맡아 관리하는데, 그 소 첩형관이 서류에 쌓여 있었다는 담우천의 말에 따르자면 아무래도 그는 좌첩형일 가능성이 농후했다.

선무청에 들어선 강만리와 담우천은 태연하게 대청을 가로질러 이 층으로 향하는 계단을 올랐다.

대청이나 복도에는 동창 무사들이 삼삼오오 모여서 대화를 나누거나 혹은 바삐 움직이고 있었는데, 그들 중 단 한 명도 강만리와 담우천을 수상하게 여기거나 눈여겨보는 이가 없었다.

하기야 동창의 경비 무사를 쓰러뜨리고 당당하게 입청(入廳)할 사람이 있을 거라고는 그 누구도 상상조차 하지 못할 일이기는 했다.

그렇게 무사히 이 층으로 올라온 두 사람은 복도를 따라 구석진 방으로 향했다.

방문 앞에 선 강만리가 귀를 기울였다. 인기척이 느껴졌다.

강만리는 다짜고짜 문을 열고 들어섰다.

"무슨 일이냐?"

고개를 숙인 채 책상 위 서류에 몰두하고 있던 사내가 짜증이 담긴 목소리로 물었다.

강만리는 담우천을 돌아보았다. 담우천은 고개를 끄덕

였다. 저 삼십 대로 보이는 사내가 동창의 이인자인, 바로 그 소 첩형관이었다.

강만리와 담우천은 문을 닫고는 뚜벅뚜벅 걸어가 책상 앞에 우뚝 섰다.

소 첩형관은 여전히 서류를 내려다보며 한숨을 내쉬었다.

"또 창주께서 부르시더냐?"

강만리는 묵직한 목소리로 말했다.

"아니, 황태자 전하의 명을 받아 찾아왔소."

일순 소 첩형관이 움찔거리며 그제야 고개를 들고는 두 명의 낯선 사내를 보고 깜짝 놀란 표정을 지었다.

하지만 생각 외로 그는 당황하지 않은 채 강만리와 담우천을 보며 입을 열었다.

"무슨 일이신가?"

"무슨 일은."

강만리가 슬그머니 미소를 지으며 말했다.

"그저 대화만 잠깐 하자는 것이오."

2. 취조(取調)란

좌첩형 소진서(蘇震曙)는 서른두 살 젊은 나이로 첩형의 자리에 오른 인물로, 매사 꼼꼼하고 철두철미하게 일을 처리하여 뭇사람들의 신망(信望)을 받고 있었다.

원래 동창은 환관들로만 구성되어 있던 조직이었다. 하지만 세력이 커지고 해야 할 일이 늘어나면서 환관만으로는 인력이 부족하고 인재를 쉽게 찾을 수가 없게 되었다.

동창의 역대 창주들은 언젠가부터 그 부족한 인력과 인재를 금의위(錦衣衛)에서 끌어다 사용했는데, 바로 이 소진서도 금의위 출신의 동창 무사였다.

금의위는 귀족 자제들의 등용문(登龍門)이라 할 수 있는 조직이었다.

물론 모든 금의위 무사들이 귀족이나 고관대작의 자제들로 구성되어 있는 건 아니었다. 일반 백성들 중에서도 잘생기고 무위가 뛰어나고 충성심이 높은 자들을 선출하여 하급 무사로 채용하기도 하였다.

그러나 뛰어난 혈통과 배경을 가지고 있지 않고서는 결코 높은 자리까지 오를 수 없었다. 아무리 공(功)을 세우고 무훈(武勳)을 세워도 일반 백성의 자제들이 오를 수 있는 직급은 이른바 행동대장 격인 관교(官校)가 끝이었다.

좌첩형 소진서는 북경부의 유명한 호족(豪族)이자, 역대 중진(重鎭)들을 배출한 소씨가문(蘇氏家門)의 넷째 아들이었다.

비록 부친은 현직에서 은퇴하여 소일 중이었지만, 그의 형제들 모두 관(官)과 군(軍)에서 높은 직책에 있는, 그야말로 명문가의 자제였다.

"그저 대화만 하자는 것이오."

소진서는 멧돼지처럼 우락부락하고 뚱뚱한 체구의 사내가 한 말의 의미에 대해서 잠시 생각했다.

'대화를 하자니? 나와? 누가? 설마 황태자 전하께서 직접?'

거기까지 생각이 미치자 그는 저도 모르게 낯빛이 창백해졌다. 켕기는 게 있으니 당연히 초조하고 불안해질 수밖에 없는 것이다.

하지만 그는 태연한 어조로 물었다.

"귀하는 누구시오?"

강만리는 그제야 손을 모아 인사하며 제 소개를 했다.

"태자밀위의 장을 맡고 있는 강만리라고 하오. 이쪽은 부위장 담우천이라고 하오."

담우천은 내심 미소를 지으며 살짝 고개를 숙였다.

그들의 소개를 받은 소진서가 가늘게 눈살을 찌푸렸다. 담우천이라는 이름은 몰라도 강만리라는 이름은 익히 들어 알고 있었다.

지난날 황궁 연쇄살인 사건을 해결했던 전직 포두이자, 이번에는 황태자의 병을 치료하기 위해서 나타난 인물이 바로 저 멧돼지 같은 강만리라는 자였다.

소진서는 잠시 그를 쳐다보다가 다시 질문을 건넸다.

"태자 전하의 병세가 많이 좋아지셨다는 소문은 들었소. 대체 어떤 병이기에 황궁의 의관들이 손을 쓰지 못했던 것이오?"

'음, 진짜 모르고 있었나?'

강만리는 소진서의 얼굴을 보며 내심 그렇게 중얼거렸다. 알면서 모르는 척하는 것치고는 너무나도 태평하고 진지해 보였던 것이다.

강만리는 가볍게 미소를 지으며 말했다.

"의관들이 신선(神仙)도 아니고, 어찌 모든 병세를 다 알 수 있겠소? 어쨌든 전하께서는 거의 쾌차하셨으니 더는 걱정하지 않으셔도 되오."

"그건 참 다행이구려."

"그건 그렇고…… 단도직입적으로 묻겠소. 혹시 전하께 죄를 짓지는 않으셨소?"

강만리의 갑작스러운 질문에 소진서의 눈이 커지고 눈빛이 흔들렸다. 소진서는 자신의 실수를 알아차리고는 헛기침을 하면서 황급히 표정을 바꿨지만 때는 이미 늦었다.

'역시, 이 자식.'

강만리가 속으로 중얼거렸다.

'태자비와 무슨 관계가 있구나.'

사실 강만리는 지난밤 담우천의 염탐을 통해서 이 소진서라는 첩형관이 마마라는 존재에 대해 연모의 정을 품고 있구나 하고 생각했다.

하지만 그 마마가 확실하게 태자비를 의미하는 건지, 그리고 단지 연모의 정이 아니라 이미 정을 통한 불륜의 관계인지에 대해서는 그 어느 것도 확신할 수 없었다.

그러나 강만리는 지금 소진서의 떨리는 눈빛을 통해 어느 정도 확신할 수 있었다.

'최소한 한 번 이상 태자비와 불륜을 저지른 게 분명하다.'

연모의 정뿐이라면 이렇게까지 불안하고 초조하게 눈빛이 흔들릴 리가 없었다.

그가 아무리 표정을 관리하여 태연한 신색을 유지하려 하지만 흔들리는 호흡과 세차게 뛰노는 맥박, 두근거리는 심장 박동까지는 숨길 수가 없었다.

그리고 강만리의 천조감응진력은 정확하게 그 호흡과 맥박과 심장 박동의 변화를 인지하고 있었다.

강만리는 그가 침착을 되찾기 전에 계속해서 질문을 이어 나갔다.

"헤어진 날 태자비께서 마지막으로 말씀하셨던 거, 아직도 잊지 않으셨소?"

물론 강만리가 그런 걸 알 리가 없었다. 아니, 태자비와 소진서가 만났는지도 확실하지 않았다. 그러나 강만리가 그렇게 넘겨짚는 질문에 소진서의 눈빛은 더욱 크게 흔들리고 동공은 갈 길을 잃은 채 허공을 방황했다.

"그, 그게 무슨 말씀이시오?"

그는 억지로 이성의 끈을 부여잡으며 잡아떼려 했다. 하지만 한 번 약점을 잡은 강만리는 맹견처럼 꽉 물고 놓지 않았다.

"이미 지 환관을 통해 모든 이야기를 다 들은 후요. 어젯밤 지 환관과 소 첩형관이 몰래 정을 나눈 사실까지 말이오."

"헉!"

강만리의 으름장에 소진서는 저도 모르게 헛바람을 크게 집어삼켰다. 두 다리가 후들거리고 손이 부들부들 떨렸다. 입에 침이 마르고 등골이 오싹해졌다.

'어젯밤 이야기까지 했단 말인가!'

그의 얼굴이 시퍼렇게 질렸다.

물론 고금동서를 막론하고 남색(男色)은 상당히 많은 이들이 즐기는 성적 취향 중의 하나였다.

하지만 그 누구도 대놓고 남색을 즐긴다고 이야기하는 자는 없었으며, 특히 체면을 중시하는 명문 세가일수록 쉬쉬하며 감추는 취향이기도 했다.

더더군다나 환관과는, 그것도 황궁에서, 동창 선무청 집무실에서 벌어진 남색은 결코 들켜서도 알려져서도 안 되는 수치스러운 일이었다.

"그, 그런 일 없소이다!"

소진서는 크게 소리치며 애써 잡아뗐다.

하지만 정작 소진서 본인도 자신의 목소리가 얼마나 떨리는지, 지금 하는 항변이 얼마나 소용이 없는지 익히 잘 알고 있었다.

강만리는 여전히 싱글거리면서 물었다.

"그럼 대질(對質)이라도 해 드리리까? 이왕이면 황태자 전하 앞에서 말이오."

소진서의 볼살이 푸들푸들 떨리기 시작하더니, 얼마 가지 못하여 애써 붙잡고 있던 이성의 끈이 끊어지는 것과 동시에 그는 스스로 무너져 내렸다.

눈동자의 빛이 흐릿해지는가 싶더니 이내 텅 빈 것처럼 사라졌다. 동시에 그의 어깨가 축 늘어졌고 고개는 땅으로 꺼졌다.

"아아!"

소진서는 비참한 탄식을 내뿜으며 두 손으로 머리카락을 쥐어뜯었다. 그 소리를 들었는지 문밖에서 동창 무사가 걱정스러운 목소리로 물었다.

"무슨 일이십니까, 첩형관 나리?"

이성을 잃고 정신이 산산조각이 난 와중에도 소진서는 이를 악물었다.

밖의 무사를 안으로 들이는 순간, 환관과의 추문을 모르는 사람이 없게 될 것이다.

"아무것도 아니다!"

그는 신경질적으로 외쳤다. 문밖에 서 있던 무사가 화들짝 놀라며 멀어지는 기척이 들려왔다.

강만리는 때려죽이고 싶을 정도로 얄밉게, 아니 소진서의 무너져 내린 가슴을 더욱 후벼 파는 미소를 지으며 다시 입을 열었다.

"사실 황태자 전하께서는 소 첩형이나 지 환관의 남색에 대해서 별 관심이 없으시오."

그는 일부러 남색이라는 두 글자에 힘을 주어 말했다.

"또한 소 첩형과 태자비 사이에 어떤 일이 있었는지도 크게 신경 쓰지 않으시오. 중요한 건 그런 남녀 문제가 아니라, 누가 황태자를 암살하려 했느냐 하는 점이니 말이오."

일순 소진서의 얼굴 살이 다시 푸들거리기 시작했다. 그는 믿을 수 없다는 눈빛으로 강만리를 쳐다보며 물었다.

"아, 암살이라니, 그게 무슨 말씀이시오?"

"모르고 계셨소? 누군가 황태자를 암살하기 위해서 음

식에 독을 탔소. 그래서 황태자의 건강 상태가 악화되었던 것이오."

강만리는 한 걸음 더 책상 가까이 다가선 후 더욱 목소리를 낮추며 은밀한 어조로 말했다.

"설마 소 첩형관이 그 일과 관련이 있는 건……."

"아니오! 그렇지 않소!"

강만리가 말꼬리를 흐리기도 전에 소진서가 벼락처럼 부르짖었다.

"그저 나는 태자비께 장예추라는 자를 죽이라는 밀명과 더불어 몇 가지 독물을 받았을 뿐이오! 하지만 아직 한 번도 사용하지 않았소. 그게 전부요. 황태자 전하와는 아무런 상관이 없소이다!"

그는 침을 튀겨 가며 소리쳤다.

강만리는 가만히 소진서의 두 눈을 바라보다가 천천히 입을 열었다.

"자, 그럼 태자비와 무슨 일이 있었는지 사실대로 말씀해 주시오. 진실만을 말한다면 내, 소 첩형관만큼은 정상참작을 하여 별 탈 없이 끝나게 해 드릴 터이니 말이오."

그렇게 말한 강만리는 다시 미소를 지으며 덧붙였다.

"아, 지 환관과의 일도 불문에 붙이겠소."

소진서의 얼굴은 새파랗게 질렸고, 제대로 호흡조차 하지 못하고 있었다.

강만리는 문득 담우천을 돌아보며 말했다.

"소씨 가문의 형제들이 관직과 군직에서 상당한 명망(名望)을 누리고 있다 했던가?"

담우천은 정중하게 대답했다.

"그렇습니다, 위장."

"하지만 동생이 환관과 남색을 하고 비역질을 했다는 게 알려진다면 그들의 명망도……."

"아니, 말하겠소! 말씀드리겠소이다!"

마침내 소진서가 눈물과 콧물을 줄줄 흘리며 소리쳤다. 강만리는 그를 돌아보며 말했다.

"사실만 말해야 하오. 이미 어느 정도 증거는 확보해 두었으니 말이오."

물론 강만리의 말은 대부분 거짓말이었다. 그가 아는 건 오로지 담우천이 염탐해서 알아냈던, 불과 몇 가지 사실밖에 없었다.

하지만 강만리는 구 할의 거짓말에다가 일 할의 진실을 섞어 가면서 능수능란하게 소진서를 어르고 달랬다.

그는 성도부 최고의 전직 포두답게 당근과 협박, 회유와 으름장을 교묘하게 이어 가면서 소진서가 정신을 차릴 수 없게 만들었다.

비록 동창의 첩형관이라고는 하지만 어디까지나 문서 작업에 특화된 일을 주로 하는 소진서가 감당해 내기에는 무리일 수밖에 없었다.

결국 소진서는 눈물을 철철 흘리면서 모든 사실을 토해내기 시작했다.

"이, 이 년 전의 일이었소이다……."

강만리와 담우천은 가만히 그의 이야기에 귀를 기울였다.

3. 하수(下手)의 고문 방법

그날 밤.

장예추와 화군악은 미리 계획한 대로 태자비를 측근에서 모시는 궁녀들의 거처에 잠입했다.

마침 두 명의 궁녀가 커다란 나무 욕조 안에서 서로의 몸을 비비고 희롱하는 중이었다.

얼마나 그 상황이 야릇했던지 장예추와 화군악은 한동안 가만히 구경을 할까 잠깐 고민하기도 했다.

하지만 꼬리가 길면 잡히는 법, 최대한 빨리 일을 끝내고 되돌아가야 했다. 그들은 곧바로 창을 넘어 안으로 들어섰다.

"아쉽군그래. 조금 더 지켜보고 싶었는데."

화군악의 투덜거리는 소리에 두 명의 벌거벗은 여인들

은 황급히 방어 자세를 취하려 했다.

하지만 이미 늦었다. 장예추와 화군악이 날린 지풍이 어느새 그녀들의 마혈을 제압한 후였다. 그녀들은 물속에서 옴짝달싹도 하지 못했다.

유들유들하게 웃으며 그녀들에게 다가간 화군악은 여인들의 벌거벗은 몸을 감상하며 말했다.

"자, 누군지는 모르겠지만 어쨌든 살아 나가지 못하기 전에 조금만 대화를 나눠 볼까, 우리? 아, 물론 시간이 된다면야 몸의 대화도 괜찮고."

"그만 좀 해라."

장예추가 가볍게 눈살을 찌푸리고는 궁녀들을 향해 나지막한, 하지만 살기가 물씬 풍기는 목소리로 물었다.

"그래, 그 단주를 내가 죽였더냐?"

궁녀들은 사색이 된 채 장예추와 화군악을 쳐다보았다.

낮에 태자비의 궁에서 한 번 본 작자들이었다.

화군악과 장예추. 비록 두 번 본 것뿐이지만, 그들의 악명(惡名)은 너무나도 잘 알고 있었다.

유난히 무더운 밤이었다. 벌거벗은 살갗에 오돌오돌 소름이 돋는 건 절대 추워서가 아니었다.

"아혈(啞穴)까지 점혈한 건 아닐 텐데, 왜 말들을 하지 않은 게지?"

화군악은 나무 욕조에 걸터앉더니, 손가락 끝으로 한

여인의 목덜미에서 한껏 융기된 젖가슴까지 가볍게 훑어 내렸다. 그 손길을 따라 소름이 오돌오돌 솟아올랐다.

화군악은 피식 웃으며 말을 이었다.

"난 여인이라고 해서 예의를 차리지 않거든. 잘 생각해야 할 거야. 죽는 게 더 나을 정도의 고통을 받고 나서 말을 할 건지, 아니면 곱게 곱게 대답하고 얼른 이 상황을 마무리를 지을지 말이지."

여인들의 눈빛이 불안하게 흔들렸지만, 그녀들은 쉽게 입을 열지 않았다.

화군악이 한숨을 쉬며 다시 입을 열고자 할 때였다. 장예추가 갑자기 손을 뻗어 한 여인의 빗장뼈를 가볍게 눌렀다. 마치 우지끈! 소리가 나는 것만 같았다.

"아……!"

빗장뼈가 으스러진 고통을 견디지 못하고 여인이 입을 벌려 비명을 내지르는 순간, 장예추는 간단하게 그녀의 아혈을 제압했다.

순간적으로 벙어리가 된 여인의 입에서는 비명이 튀어나오다가 말고 신기루처럼 사라졌다.

"넌 말이 많은 게 탈이라니까."

장예추가 화군악에게 한마디 하자 화군악은 싱글거리며 대꾸했다.

"밤이 길기도 하고 이 정도 즐거움은 있어야 하지 않겠어?"

"됐다."

장예추는 고통을 이기지 못한 채 식은땀을 뻘뻘 흘리고 있는 여인을 힐끗 바라본 다음 맞은편에 앉아 있는, 새파랗게 안색이 질린 여인을 향해 입을 열었다.

"네가 대답하지 않을 때마다 그녀가 고통을 받게 될 거다. 아, 한 가지만 알려 주마. 나는 같은 말을 두 번 하는 걸 제일 싫어하지."

화군악이 고개를 끄덕이며 맞장구쳤다.

"맞아. 이 친구가 가장 싫어하는 게 그거야."

장예추는 냉정한 눈빛으로 여인을 내려다보며 물었다.

"그 단주라는 자를 내가 죽였더냐?"

여인이 대답하지 않고 머뭇거리는 순간 장예추는 서슴없이 맞은편 여인의 또 다른 빗장뼈를 으스러뜨렸다.

양쪽 빗장뼈가 박살 난 여인은 비명을 내지르며 발버둥을 치려 했지만, 안타깝게도 그녀의 입과 몸은 점혈을 당해 아무것도 할 수가 없었다. 그녀의 눈에서는 눈물이, 코에서는 콧물이 줄줄 흘러내렸다.

화군악은 새로운 걸 알았다는 듯 감탄하는 표정을 지으며 고개를 끄덕였다.

"마혈이 제압당한 상태에서도 눈물과 콧물은 흐르는구나."

장예추는 아무 대꾸 없이 맞은편 여인의 손을 잡았다.

순간 여인의 얼굴에 공포의 표정이 떠올랐다.

장예추는 여인의 가늘고 긴 손가락을 부드럽게 쥐었다. 그러고는 천천히 힘을 주었다. 동시에 그녀의 입이 쩍 벌어졌다. 붉은 혀가 입 밖으로 튀어나왔다.

그녀의 손가락은 엄청난 압력에 의해 천천히 으스러지고 있었다. 단번에 툭 하고 부러지는 게 아니라, 사방에서 천천히 옥죄어 들어오는 거대한 힘에 눌려 피부는 흐물흐물해지고 살점은 곤죽이 되었으며 뼈는 모래처럼 분쇄되고 있었다.

장예추의 꽉 쥔 손아귀 사이로 새빨간 핏물이 착즙기에 짜인 과즙(果汁)처럼 천천히 흘러나왔다.

그 광경을 지켜보는 또 다른 여인의 눈빛이 파들파들 떨렸다. 앵두처럼 붉었던 입술은 새파랗게 질려 있었고, 공포와 갈등에 젖은 그녀의 입은 마치 숨을 쉬지 못하는 붕어처럼 연신 뻐끔거렸다.

장예추는 그녀를 지켜보며 다시 다른 손가락을 쥐며 입을 열었다.

"전신의 뼈마디는 이백 개가 넘고 근육은 육백 개가 넘는다고 하더군. 참, 사람 목숨이라는 게 질기고 강인해서 그 뼈와 근육을 산산이 부수고 으스러뜨리고 분쇄해도, 쉽게 죽지를 않는다고 하지. 외려 그 고통을 이기지 못하고 심장마비에 걸려 죽을 가능성이 더 크다는 거야."

두 번째 손가락이 다시 분쇄기에 갈리는 것처럼 불쾌하고 역겨운 소리를 내면서 으스러지고 있었다. 장예추의 손아귀에서 제 손가락이 갈려 나가는 여인은 두 눈을 까뒤집은 채 입에 거품을 물고 있었다.

화군악이 거들었다.

"잘 생각해 봐. 다음은 네 차례라는 걸."

화군악은 어깨를 으쓱거리며 말을 이었다.

"이대로 계속해서 저 계집만 고문할 거라고 생각하는 건 아니겠지? 아니지. 그건 하수(下手)의 고문 방법이라고. 가장 고통스러워할 때, 차라리 죽는 게 고맙다고 느껴질 때쯤 고문을 멈추는 거야. 그리고 반대로 널 고문하는 모습을 보여 주는 거지. 그러면 과연 어떻게 될까?"

여인은 진저리를 쳤다.

한 번 고문이 중단된 상황에서 다른 이의 고문을 지켜보는 기분은 과연 어떨까?

제대로 대답하지 않는다면 다시 그 고문이 자신에게 돌아올 게 분명한 상황에서, 과연 끝까지 입을 다물고 있을 수 있을까?

아니면 자신이 고통을 겪는 동안 가만히 지켜보았던 상대에게 복수라도 하듯 끝까지 입을 열지 않고 버틸까?

"잘 생각해서 결정하라고. 선택의 시간은 그리 많지 않으니까."

화군악이 말을 하는 동안 세 번째 손가락이 으스러지고 있었다.

"그, 그만해!"

결국 여인이 항복하고 입을 열었다.

손가락이 갈려 나간 여인이 하염없이 눈물을 흘리며 그녀를 바라보았다.

왜 이제야 입을 열었느냐는 표정일까? 아니면 왜 끝까지 버티지 못했느냐는 의미의 표정일까?

여인은 쇄골과 손가락을 희생한 동료의 시선을 마주 보지 못한 채 부들부들 떨리는 목소리로 말했다.

"그래. 네가 우리 단주를 죽였어."

장예추는 손을 목욕물에 담갔다. 손바닥에 묻어 있던 피부와 살점과 뼈 부스러기들이 핏물과 함께 씻겨졌다. 이내 목욕물이 붉은색으로 변했다.

장예추는 손을 헹구며 물었다.

"그 단주의 이름은?"

여인은 빠르게 대꾸했다.

"한조."

'한조?'

여인의 대답에 장예추가 고개를 갸웃거릴 때였다.

"아!"

화군악이 저도 모르게 탄성을 내질렀다. 장예추는 그를

돌아보며 물었다.

"아는 사람이야?"

일순 화군악의 얼굴이 붉어졌다. 그는 잠시 망설이다가 헛기침을 하며 입을 열었다.

"허험. 그러니까 말이지, 사내인 동시에 계집인 그런 특이한 성(性)을 가진 자였어. 아, 그래. 인요(人妖)라고 알지?"

화군악의 말에 장예추의 표정이 진지해졌다. 장예추는 문득 사천당문에서 있었던 일이 떠올랐다.

자신과 당혜혜의 혼인식 이후, 갑자기 쳐들어왔던 괴한들의 암습. 그 괴한들 중 분명히 여인도 사내도 아닌 듯한 자가 있었던 것이다.

당시 장예추는 당혜혜의 도움을 받아 모든 괴한을 해치웠고, 그 괴이한 작자도 그때 목숨을 잃었다. 아마도 그 자가 바로 이 여인들이 말하는 한조라는 단주였던 모양이었다.

장예추는 나지막하게 한숨을 쉬며 중얼거렸다.

"정말 악연(惡緣)이라는 게 질기기는 하구나."

3장.

배후(背後)

"으음. 참 고약한 악연이로군그래."
이야기를 모두 듣고 난 후, 만해거사가 장예추를 바라보며 말했다.
장예추는 씁쓸한 표정을 지으며 고개를 끄덕였다.
"악연처럼 질긴 게 없는 것 같습니다."
"그래서 악연이라고 하는 거겠지."

1. 연모(戀慕)의 정(情)

잠시 생각하던 장예추가 입을 열었다.

"그럼 그대들은 건곤가 사람이더냐?"

여인들의 낯빛이 급변했다. 장예추는 두 번 묻는 대신 여인의 손가락을 잡아 쥐려 했다.

아혈을 제압당하지 않은 여인이 놀라 황급히 말했다.

"맞다. 우리는 건곤가 암영단원들이야."

엉겁결에 그렇게 대답한 여인은 이내 모든 걸 포기한 표정을 지었다. 한 번 입을 열기가 힘들어서 그렇지, 이렇게 되면 순순히 모든 걸 토해 내게 되어 있었다.

장예추는 계속해서 물었다.

"한조는 암영단주였고?"

"맞다."

"건곤가 사람이 태자비의 궁녀로 있다는 건, 다시 말해서 태자비와 건곤가가 손을 잡았다는 뜻인가?"

"맞다."

여인은 체념한 듯 순순히 대답했다.

"건곤가가 노리는 목적은?"

"그건 나도 모르지. 우리는 잠자코 궁녀 노릇을 하다가 가주께서 지시를 내릴 때마다 움직일 따름이니까."

"이번 지시는 우리, 아니 나를 죽이려는 거고?"

"맞다."

"거짓말."

화군악이 불쑥 끼어들었다. 그는 짧게 대답하는 여인의 눈빛이 순간적으로 흔들리는 걸 놓치지 않았다.

"건곤가가 지시하기는 뭘 지시해? 태자비가 죽이라고 한 거잖아?"

화군악의 질책에 여인은 당황한 듯 서둘러 부인했다.

"아, 아니야."

"웃기지 마라. 만약 건곤가주의 명령이었다면 굳이 콕 집어서 장예추만을 죽이려 들지 않았을 게다. 당연히 우리 모두를 죽이려 했을 것이다."

화군악은 어깨를 으쓱거리며 말을 이었다.

"물론 이 녀석이 놈의 아들을 죽이기는 했지만, 그렇다고 복수에 눈이 어두워져서 대국(大局)을 그르칠 사람은 아닐 테니까. 나는 건곤가주가 겨우 그 정도 인물은 아닐 거라고 생각하거든."

여인은 입술을 잘강잘강 씹었고, 장예추는 다시 아혈과 마혈이 제압된 여인의 손을 쥐었다. 여인이 당황하여 얼른 입을 열었다.

"맞아. 가주께서 지시한 건 아냐."

"역시 예추를 죽이려 한 배후는 태자비인 거지?"

화군악의 거듭되는 물음에 여인은 망설이다가 결국 희미하게 고개를 끄덕였다.

"왜지?"

이번에는 장예추가 물었다.

그와는 악연이든 인연이든 실오라기 하나도 이어져 있지 않은 태자비였다. 그런데 굳이 장예추만을 지목해서 죽이라는 명령을 내린 것이다. 누구보다도 당사자인 장예추가 가장 궁금할 수밖에 없었다.

여인은 길게 한숨을 토해 내며 입을 열었다.

"한 단주는……."

이어지는 여인의 이야기에 장예추와 화군악은 놀란 눈으로 서로를 돌아보았다.

* * *

잠시 고민했지만, 결국 죽이는 것 말고는 다른 방법이 없다는 결론이 내려졌다.

장예추는 두 여인을 내려다보며 말했다.

“제대로 이야기해 준 대가로 고통없이 죽여 주마.”

여인들은 이미 체념한 듯 두 눈을 꼭 감고 있었다. 하지만 죽고 싶지 않다는 본능은 어쩔 도리가 없는 듯 그녀들의 몸은 미세하게 떨리고 있었다.

장예추와 화군악은 각자 한 명씩 맡아 묵묵히 사혈(死穴)을 짚었다.

사람의 몸에는 서른 개가 넘는 사혈이 있지만 그중에서도 치명적인 사혈은 모두 일곱 곳, 그곳을 따로 가리켜 십칠대사혈(十七大死穴)이라 칭했다.

무공을 모르는 자라 할지라도 정확하게 혈을 후려치거나 짚기만 하더라도 목숨을 잃게 되는 사혈이 바로 그 십칠대사혈이었다.

장예추와 화군악은 그 십칠대사혈 중 한 곳인 백회혈(百會穴)을 지그시 눌렀다. 여인들은 비명이나 신음도 흘리지 않고 잠들 듯 그대로 목숨을 잃었다.

“적어도 내일까지는 시신이 발각되지 않아야 하는데.”

장예추는 욕조의 물을 빼면서 중얼거렸다. 화군악이 주위를 살피다가 좋은 생각이 난 듯 눈빛을 반짝여 말했다.

"천장 안쪽에 숨겨 두는 건 어떨까?"

"천장 속 쥐들 때문에 금세 들킬 거야."

"하기야 먹이를 본 쥐들이 가만있지 않기는 하겠군."

화군악은 빠르게 수긍하며 투덜거렸다.

"황궁에는 따로 뭔가 숨길 만한 장소가 없는 게 단점이라니까."

"그야 당연하지. 애당초 암살자들이 숨을 공간이 없도록 만들었으니까. 그래서 큰 나무나 수풀도 없는 거잖아."

"그렇게 대꾸만 하지 말고 너도 생각 좀 해 봐. 어디에다가 숨기는 게 가장 좋을까?"

"뭐, 우리 별채가 가장 안전하기는 하지."

"그럼 이 시체들을 둘러업고 빠져나가자고? 아무도 모르게?"

"어려워?"

"아니, 어렵지는 않지만."

화군악은 축 늘어진 여인의 벌거벗은 시신을 흘낏 내려다보며 중얼거렸다.

"소흔이 보면 한 소리 할 것 같은데."

두 사람은 곧 여인들의 시신을 둘러업은 채 밤하늘을 날았다.

동궁의 경비 무사들은 제 머리 위로 날아가는 두 개의 검은 물체를 전혀 인지하지 못했다. 그저 머리 위로 지나치는 희미한 바람 소리에 '어디 밤새가 돌아다니나 보다.' 그렇게 생각하며 꾸벅꾸벅 졸 뿐이었다.

장예추와 화군악은 무사히 담장을 넘어 별채 안으로 날아들었다. 그들은 시신을 업은 채 곧바로 별채 객청으로 들어섰다.

객청에는 강만리와 담우천, 정유와 만해거사만이 모여 앉아서 술을 마시고 있었는데, 그들은 화군악과 장예추가 벌거벗은 여인을 업고 들어오자 깜짝 놀라며 자리에서 일어났다.

만해거사가 혀를 차며 말했다.

"아이들도 있는 곳이야. 약당으로 가세."

만해거사는 곧 두 사람과 함께 객청을 빠져나가 약당으로 향했다.

잠시 후 세 명의 사내가 홀가분한 모습으로 되돌아왔다.

강만리가 혀를 차며 말했다.

"대화만 하라니까."

화군악이 웃으며 말했다.

"대화만 했거든요."

"그런데 왜 시신이 생겨?"

"어쩔 수 없었어요. 내일까지 시간이 필요했거든요."

그렇게 장난스레 대꾸한 화군악은 곧 진지한 표정을 지으며, 궁녀들을 고문하여 얻어 낸 것들을 이야기하기 시작했다. 사람들의 표정이 신중해졌다.

"으음. 참 고약한 악연이로군그래."

이야기를 모두 듣고 난 후, 만해거사가 장예추를 바라보며 말했다.

장예추는 씁쓸한 표정을 지으며 고개를 끄덕였다.

"악연처럼 질긴 게 없는 것 같습니다."

"그래서 악연이라고 하는 거겠지."

두 사람이 그런 대화를 나누는 동안 강만리는 진중한 얼굴로 뭔가 생각하다가 한숨을 쉬며 중얼거렸다.

"대충 다 된 것 같은데…… 모든 게 말뿐인 증거라서 말이지. 태자비를 걸고넘어가려면 역시 이거다 싶은 물증이나 확증이 필요하거든."

"잡아 족칠까요?"

화군악이 태연자약하게 말하자 만해거사가 펄쩍 뛰었다.

"무슨 그런 삼족이 멸할 소리를 함부로 하는 게냐?"

그의 따가운 질책에도 화군악은 전혀 아랑곳하지 않았다.

"하지만 그 계집도 결국 계집일 뿐이잖아요? 남편을 배신하고 서방질을 한 못된 계집."

"그러니까 그 증거가 필요하다는 게다."

강만리가 엉덩이를 긁적이면서 말했다.

"태자비가 남편을 배신하고 서방질을 했다는 증거 말이다."

"괜히 죽였을까요, 궁녀들?"

장예추가 조금은 후회하는 표정을 지으며 말하자 강만리는 고개를 저었다.

"아니, 살려 둬 봤자 태자비 앞에서는 딴소리할 게 분명하다. 차라리…… 아, 그렇군!"

강만리는 환한 표정을 지으며 제 무릎을 쳤다.

"계집이 안 된다면 사내를 이용하는 게 낫겠지. 사내의 질투는 계집의 그것보다 훨씬 더 짙고 악랄하니까 말이야."

장예추가 문득 눈빛을 빛내며 물었다.

"소 첩형을 말씀하시는 겁니까?"

"그렇지."

강만리는 고개를 끄덕였다.

"사랑이 깊을수록 증오도 깊어지는 법이니까. 달리 애증(愛憎)이라 하겠나? 그 정도로 깊은 연모(戀慕)의 정(情)이라면, 우리가 살살 불씨만 지펴 주더라도 알아서

활활 타오를 거야."

"불씨는 어떻게 지피실 건데요?"

화군악이 묻자 강만리는 인상을 찌푸렸다.

"그야 지금부터 잘 고민해 봐야지."

"그런데 말입니다, 위장 나리."

담우천이 불쑥 끼어들었다. 강만리가 한숨을 내쉬며 손사래를 쳤다.

"이제 그만 좀 하세요."

담우천은 웃지도 않고 말했다.

"오늘 낮에 자네를 죽이려 들었던 암살자의 배후는 태자비가 아닌 것 같은데."

일순 사람들이 움찔거렸다. 계속해서 담우천의 이야기가 이어졌다.

"태자비라면 자네가 아니라 예추를 노렸어야지. 하지만 그 암살자는 정확하게 자네만을 노렸거든."

"그래서 헷갈렸던 겁니다."

강만리는 한숨을 내쉬며 고개를 끄덕였다.

"저들이 노리는 목표가 서로 다르고, 사용하는 독들도 사뭇 달랐거든요. 강호의 일반 무림인들이 사용하는 독과 사천당문의 독, 이렇게 말이죠. 그래서 이게 도대체 뭔가, 한동안 헷갈리고 답답했는데……."

강만리는 잠시 말을 끊었다가 이었다.

"아무래도 배후가 둘인 것 같습니다."

일순 사람들의 눈이 휘둥그레졌다.

"태자비 말고 또 있단 말인가?"

만해거사의 놀란 목소리에 강만리는 고개를 끄덕이며 대답했다.

"네. 예추를 노리는 태자비, 그리고 저를 노리는 또 누군가. 이렇게 두 명의 배후가 암살자들을 보내는 바람에 상황이 상당히 꼬였던 것 같습니다."

사람들이 놀란 와중에, 강만리는 이미 생각해 둔 바가 있다는 듯이 계속해서 말을 이어 나갔다.

"그리고 삼황자 주건의 죽음이 그 하나의 이유가 아닐까 추측됩니다."

2. 소동(騷動)

다음 날.

황궁의 동궁에서는 새벽부터 그날 하루 내내 무수히 많은 일이 동시다발적으로 일어났다.

동이 트는 새벽녘에는 태자비의 궁에서 작은 소동이 벌어졌다. 교대하러 와야 할 궁녀 두 명이 시간이 되었음에도 불구하고 나타나지 않은 것이다.

밤세 태자비 곁에서 그녀를 호위하던 두 명의 궁녀는 짜증을 내는 한편 뭔가 불안한 기색을 감추지 못했다.

"무슨 일이라도 생긴 거 아냐?"

궁녀 중 한 명이 곤히 잠든 태자비를 깨울까 봐 아주 낮은 목소리로 소곤거렸다.

"무슨 일은? 둘이서 벌거벗고 엉겨 붙은 채로 잠들어 있겠지. 모르긴 몰라도 밤새 그 짓거리를 하고 조금 전에 겨우 잠들었을걸?"

교대를 와야 할 두 명의 성생활에 대해서 익히 잘 알고 있는 또 다른 궁녀가 심드렁한 표정을 지으며 투덜거렸다.

"이게 어디 오늘 하루뿐이야? 보름 전에도 늦게 왔잖아? 아주 피곤에 절은 얼굴을 하고서 말이야."

"하지만 보름 전 그날 이후로는 꾸준히 정시에 교대했는데?"

"세 살 버릇 여든까지 간다고 했잖아? 그렇게 쉽게 고쳐질 리가 없다고."

"아냐. 뭔가 께름칙해. 어제 낮에 왔던 그 강만리 일행이 자꾸만 수상쩍게 여겨져. 놈들이 뭔가 알고 있는 것 같아."

"너는 그게 병이라니까. 그러다가 하늘이 무너지겠다."

옛날 기(杞)나라 사람이 멀쩡한 하늘이 무너질까 봐 걱정하며 다니는 두고 기우(杞憂)라고 했다. 전혀 쓸데없는 걱정인 게다.

지적받은 궁녀가 발끈하듯 말했다.

"아니거든. 확실히 느낌이 좋지 않아."

다른 궁녀가 달래듯 말했다.

"알았어. 그럼 내가 가 볼게. 가서 깨워 오면 되지?"

"아니, 너와 나는 이곳을 떠나면 안 돼. 반드시 두 사람이 남아서 태자비를 지켜야 한다고 가주께서 말씀하셨으니까. 내가 궁녀나 환관에게 이야기해 볼게."

그렇게 말한 궁녀는 다른 궁녀의 동의도 받지 않은 채 태자비의 침소를 나섰다. 홀로 남은 궁녀가 투덜거렸다.

"반드시 두 사람이 남아서 지켜야 한다면서?"

잠시 후 궁녀가 되돌아왔다. 그녀는 한시름 놓은 듯 활짝 웃으며 말했다.

"마침 지 환관이 숙직을 끝내고 돌아가려고 하는 걸 붙잡았지."

지 환관은 태자비의 심복 중 한 명이었다.

생긴 건 계집 같았고 피부도 매끈해서 사내의 냄새가 전혀 나지 않는, 태자비가 딱 좋아하는 부류의 인물이었다. 그래서 몇 차례 태자비의 수발을 들기도 했고, 이 궁녀들과 어울려 한바탕 뒹굴기도 했다.

하지만 정작 지 환관은 여인들보다는 사내를 더 좋아했

다. 그는 여인들에게 봉사하는 것보다 사내의 물건을 빨고, 사내의 물건을 받아들이는 것에 더 큰 쾌락을 느끼는 인물이었다.

"그럼 이제 지 환관이 그 계집들을 끌고 오는 것만 기다리면 되겠네."

"그랬으면 좋겠어."

"그런데 지 환관, 왠지 우리와 노는 걸 꺼리는 것 같지 않아? 처음에는 아주 성심성의껏 우리에게 봉사하더니 말이야."

"글쎄. 나는 잘 모르겠는데?"

두 궁녀의 대화는 어느새 지 환관을 중심으로 이어지고 있었다. 지 환관이 물건까지 달려 있었더라면 금상첨화(錦上添花)였을 거라며 아쉬워도 하고, 또 그래서 죽은 한조가 더 대단하다며 그를 회상하기도 했다.

그녀들의 대화는 길게 이어졌다. 초조할 정도로 시간은 느리게 흘렀다.

이윽고 기다리던 지 환관이 모습을 드러냈다. 반갑게 그를 맞이하던 두 명의 궁녀는 이내 인상을 찌푸리며 물었다.

"그녀들은요?"

지 환관은 고개를 내저으며 말했다.

"방에도 주방에도 측간에도 어디에도 없었소이다."

일순 두 여인은 창백해진 얼굴로 서로를 돌아보았다. 지 환관은 계속해서 말했다.

"따로 환관과 여관들을 시켜 계속 찾아보라 지시를 내리고 돌아온 것이오. 너무 기다리게 하는 것 같아서 말이오."

지 환관은 늘어지게 하품을 하며 말했다.

"벗어 둔 궁복(宮服)이 가지런히 개어져 있는 걸 보면, 멀리 나간 것 같지는 않더이다. 아마 주변을 산책하는 것일지도 모르는 일이오. 뭐, 어쨌거나 어딘가에 있겠지요. 동궁이 넓다 한들 길을 잃을 정도는 아니니까. 너무 걱정은 하지 마시구려. 그럼 이 몸은 이만."

지 환관은 피곤하다는 티를 계속 내면서 말하고는 서둘러 자리를 떴다.

두 여인은 잠시 침묵한 채 무언가 곰곰이 생각하다가 거의 동시에 입을 열었다.

"뭔가 일이 생긴 게 분명해."

"아무래도 일이 생긴 것 같아."

두 여인은 서로를 바라보면서 고개를 끄덕였다. 동시에 가주가 그녀들을 이곳에 보내면서 말했던 경고의 지시가 떠올랐다.

―변고(變故)가 생길 시 바로 그 자리에서 자결할 수 있

도록 만반의 준비를 해라.

워낙 평온하기만 하던 궁 생활이었다. 그래서 한동안 잊고 있었던, 그러나 늘 품에 상비하고 있던 독극물을 꺼내 입안 안쪽에 단단히 박아 두었다.

어금니를 깨무는 순간, 소롱포(小籠包)처럼 터지면서 즉시 목숨을 잃게 만든 독극물이었다.

물론 장예추와 화군악에 의해 살해당한 여인들도 그 독극물을 품에 감춰 두고 있었다. 하지만 벌거벗은 채 욕조에서 서로 희롱을 하는 와중에 품에 감춰 둔 독극물은 아무런 소용이 없었다.

두 궁녀는 그렇게 독극물을 입에 넣은 채 초조한 모습으로 동료들이 돌아오기만을 기다렸다.

그게 그날 처음 벌어진 첫 번째 소동이었다.

* * *

관인(官人)의 고관대작을 잡아 가둔 감옥을 따로 조옥(詔獄)이라 불렀다. 금부(禁府), 혹은 왕옥(王獄)이라고도 불리는 조옥은 금의위 조직인 북진무사(北鎭撫司)가 담당, 관리했다.

금의위는 휘하 조직인 진무사를 남북(南北) 두 개의 조직으로 나눠서 북진무사는 조옥을 관리하고, 남진무사(南鎭撫司)로 하여금 군장(軍匠)을 전담하게 했다.

원래 금의위는 황제의 친위대 명목으로 설치되었는데, 세월이 흐르고 그 권세가 막강해지면서 모든 법을 능가하는 초법적인 권한을 행사하는 등 많은 폐해를 낳았다.

곧 금의위의 권한이 축소되었고, 대부분의 권한은 나중에 설립된 동창으로 이양되었다.

하지만 그렇게 되자 동창의 권력이 강해져서 무소불위(無所不爲)의 권력을 쥐며 금의위를 하부 조직처럼 다루게 되니, 금의위의 입장에서 보자면 불만이 튀어나올 수밖에 없었다.

금의위의 수장은 지휘사(指揮使), 혹은 지휘동지(指揮同知), 혹은 지휘검사(指揮僉事)라고 하여 종 이품에 해당하는 매우 높은 벼슬아치였다.

그럼에도 불구하고 일개 태감이 수장으로 있는 동창의 하수인 노릇을 하게 되니, 실로 자괴감이 드는 게 당연한 일이었다.

현 금의위의 수장인 기유동(箕酉東)의 머리카락이 하루가 다르게 빠지는 것도 바로 그런 이유에서일 것이다.

이날 아침.

기유동은 동궁의 동천문(東天門) 밖, 의란청(儀鑾廳)으로 향했다.

의란청은 옛 시절 금의위가 의란사(儀鑾司)라 불리던 때의 관청으로, 지금은 금의위의 지휘사 기유동의 집무실로 사용되고 있었다.

기유동이 규모도 작아지고 인원도 축소된 의란청에 당도했을 때, 그를 기다리는 두 명의 낯선 사내가 있었다.

그들은 기유동에게 태자밀위의 증패를 꺼내 보이며 말했다.

"황태자 전하의 밀명을 받고 왔소이다."

기유동의 가슴이 두근거렸다.

같은 황궁 내에 있으면서 황태자나 황제를 알현하거나 혹은 그들에게 직접 명령을 받은 적이 얼마 만이었던가.

"안으로 드시지요."

기유동은 깍듯하게 두 밀위를 맞이했다.

쇠락한 성세(成勢)를 말해 주듯 의란청은 단청(丹靑)의 색이 바랬고, 오랫동안 개축을 하지 않아 허름하고 낡은 건물이었다.

기유동의 집무실은 역시 삼 층으로, 그나마 가장 창밖 풍경이 좋은 자리에 위치해 있었다. 넓은 공간에 탁자와 책장, 그리고 사람들이 차를 마시며 대화를 나눌 수 있는 차탁들이 구비되어 있었다.

"무슨 일이시오? 황태자 전하께서 어인 용무이신지요?"

기유동은 차탁에 앉아 사내들에게 차를 권한 후 마른침을 꿀꺽 삼키며 물었다.

두 사내는 물론 강만리와 담우천이었다.

그들은 오늘 새벽까지 계획을 세우고 태의원을 비롯하여 여러 곳을 바쁘게 돌아다니는 둥 한숨도 자지 못한 채로 이곳 의란청을 방문한 터였다.

그러나 전혀 피곤해 보이지 않는 모습으로 차를 마시면서 천천히 입을 열었다.

"전하께서 기 도지사께 긴히 부탁드린다고 하셨소이다."

기유동의 표정이 환하게 밝아졌다.

"그게 무엇이오? 이 기유동 최선을 다해 명을 받들겠소이다."

강만리는 기유동의 과장된 태도에 감탄하듯 고개를 크게 끄덕이며 말했다.

"역시, 마지막에 가서는 동창보다는 금의위라고 하셨는데 그 말씀이 맞나 봅니다. 기 도지사의 충심은 반드시 전하께 전해 드리겠소이다."

기유동의 입이 귀에까지 걸렸다.

"허허허. 동창 놈들이 하는 건 결국 음모나 수작이 전부가 아니외까? 전대 창주 양웅이 조옥에 갇히면서 동창도 함께 폐쇄되어야 했는데, 황후 마마께서 마지막 기회를 주시는 바람에……."

"아, 말이 나왔으니 바로 단도직입적으로 이야기하겠소이다."

강만리는 기유동의 말을 중간에서 자르며 말했다.

"양옹을 만나고 싶소이다. 그게 전하의 부탁이오."

"예?"

기유동의 눈이 휘둥그레졌다. 동시에 실망의 기색이 그의 얼굴 위로 스며들었다.

강만리는 재빨리 말을 이었다.

"이건 전하의 미래와 운명이 걸린 일이외다. 그리고 오직 기 도지사에게만 부탁할 수 있는 일이기도 하오. 부탁이오. 전하를 위해서라도 꼭 들어주셨으면 좋겠소이다."

강만리의 애절한 말에 기유동의 표정이 다시 달라졌다. 잠시 고민하는 척하는 그의 표정이 기쁨에 젖어 있는 건 강만리나 담우천 모두 쉽게 알아볼 수가 있었다.

하지만 기유동은 짐짓 고뇌하는 척하면서 중얼거렸다.

"아, 한 번 조옥에 갇힌 죄인은 황제 폐하의 칙서가 아니면 면회조차 금지인데 말이오."

그건 사실이었다. 원래 북진무사의 조옥에는 황제가 조서(詔書)를 내려야 형옥(刑獄)이 가능했다.

또한 한 번 조옥에 갇히게 되면 형부(刑部) 등 법사(法司)가 전혀 관여할 수 없었다. 오직 황제의 허락이 떨어져야만 비로소 면회도 가능한 곳이 바로 조옥이었다.

강만리는 더더욱 절절한 목소리로 말했다.

"그래서 부탁드리는 게 아니겠소이까? 그저 기 도지사의 충심만 기대할 뿐이오."

기유동은 한껏 고민하는 척하다가 크게 고개를 끄덕이면서 입을 열었다.

"알겠소이다. 비록 국법에는 어긋나지만 다름 아닌 황태자 전하의 말씀이시니, 내 지옥에 가는 한이 있더라도 그 명을 받들겠소이다."

"역시 기 도지사이외다. 반드시 전하께 기 도지사의 충심을 전해 드리겠소이다."

"고맙소이다."

기유동은 손을 뻗어 강만리의 두 손을 붙잡고 활짝 웃었다. 강만리도 진심처럼 환하게 웃었다.

3. 조옥(詔獄)

금의위는 원래 사법기관을 거치지 않고 독자적으로 정보 수집과 체포, 구금, 취조, 처벌까지 할 수 있는 초법적인 권한을 지녔다.

물론 지금이야 그 대부분의 기능이 동창으로 넘어갔지

만 어쨌든 조옥은 그런 과거의 금의위를 상징하는 감옥이었으며, 현재까지 남아 있는 몇 되지 않은 금의위의 자존심이기도 했다.

겉으로 보기에는 그저 평범한 단층 건물에 불과했지만 안으로 들어가면 지하로 이어지는 계단이 있었고, 수십 개의 석실로 만들어진 감옥이 그 지하에 존재했다.

그리고 바로 그 지하 감옥이야말로 이 조옥의 진짜 모습이었다.

두께 한 자가 넘는 석문(石門) 안에는 반 평가량의 공간이 있었고, 그 좁은 공간에서 먹고 자고 배설하는 모든 일상 행위를 해야만 했다.

물론 대소변을 받는 그릇이 따로 있어서 하루에 한 번 바꿔 주기는 하지만, 그래도 석문 안 좁은 공간은 역겹고 더러운 냄새를 풍기는 온갖 오물들로 가득 차 있었다.

그 좁은 공간에 갇힌 죄수들은 일 년도 채 되지 않아서 다들 중병에 걸리고, 다시 일 년이 지나지 않아서 스스로 목숨을 끊거나 아니면 병마(病魔)에 시달리다가 죽음을 맞이했다.

조옥이 무서운 건, 한 번 갇히면 두 번 다시 살아서 빠져나오지 못한다는 점에 있었다.

그 지하 감옥으로 이어지는 계단의 입구가 오래간만에 열렸다. 달걀마저도 익힐 정도로 뜨겁게 작열하는 햇빛이었지만, 그래도 지하 감옥 안쪽까지 도달하지는 못했다.

"걸음 조심하십시오. 바닥이 미끄럽습니다."

조옥의 옥장(獄長)이 직접 횃불을 든 채, 느닷없이 찾아온 손님들을 안내하며 지하로 내려갔다.

당연한 일이었다.

금의위의 수장인 기유동과 또 정체는 알 수 없지만 기유동이 깍듯이 모시는 두 명의 손님이 찾아왔으니, 아무리 이 조옥의 우두머리라 할지라도 허리를 굽히고 넙죽거리는 게 당연한 일인 게다.

지하 감옥은 거대한 동굴처럼 넓었으며 미로처럼 길이 복잡하여, 행여 죄인이 석실에서 탈출한다고 하더라도 결국 길을 잃고 미아가 될 수밖에 없는 구조였다.

옥장은 그 미로와 같은 복잡한 길 가장 안쪽에 있는 석실로 손님들을 안내했다.

흙먼지와 곰팡이로 얼룩진 벽 군데군데 밝혀진 횃불이 아니면 그야말로 암흑천지인 지하 감옥이었으나, 그 안쪽은 더더욱 어두워서 빛 한 점 스며들지 않았다.

옥장이 횃불로 앞을 비출 때마다 쥐들의 모습을 볼 수 있었는데, 놀랍게도 쥐들은 도망갈 생각도 하지 않은 채 붉은 눈으로 옥장과 손님들을 노려보고 있었다.

"여깁니다."

이윽고 옥장이 걸음을 멈춰 서며 말했다.

넓은 지하 감옥 가장 안쪽의 구석진 곳에 있는 석실. 창살이 쳐진 조그만 구멍 안으로 석실 내부를 확인할 수 있었다.

옥장이 횃불을 들고 내부를 비추자, 뭔가 어두컴컴한 것이 꾸물거리며 횃불의 빛을 피해 움직였다.

"아직 살아 있군요."

옥장은 뭔가 아쉽다는 듯이 중얼거리며 허리에 찬 열쇠 다발을 풀러 석문을 열었다.

구구궁.

가뜩이나 고요한 지하 감옥이라 그런지 석문 열리는 소리는 더욱더 요란하게 울려 퍼졌다.

기유동과 함께 이 조옥의 지하 감옥을 찾아온 손님, 강만리와 담우천은 석실 내부를 들여다보다가 절로 눈살을 찌푸리며 한 걸음 뒤로 물러났다.

무엇보다 코가 썩어 들어가는 듯한 악취를 견딜 수 없었던 것이다.

"헤헤. 조금 냄새가 심하죠? 매일처럼 치우고 청소한다고는 하는데, 워낙 인력이 부족한 데다가 또 이것들이 하도 더럽고 지저분해서 말입니다."

옥장은 죄인들을 사람 취급 하지 않았다. 그는 이것이니 저것이니 하면서 마치 물건 다루듯 이야기했다.

"그래도 이 정도면 그나마 깨끗한 편입니다. 가끔 이것의 옛 지인이나 후배, 수하들이 영치금이라고 넣어 줘서 우리도 신경을 많이 쓰거든요."

영치금은 감옥에 갇힌 자들이 쓸 수 있도록 전해 주는 돈을 의미했다.

하지만 조옥에서는 죄수들이 돈을 쓸 일이 전혀 없었고, 그래서 조옥의 영치금은 잘 좀 봐 달라는 의미의 뇌물과 다름이 없었다.

기유동은 그런 뇌물을 받고서도 아주 당당하게 이야기하는 옥장을 보고 눈살을 찌푸리며 눈치를 주었다. 하지만 옥장은 알아차리지 못한 듯 석실 벽에 횃불 하나를 걸어 두고 불을 밝히면서 입을 놀렸다.

"사실 영치금이라도 받지 않으면 우리도 힘들거든요. 워낙 녹봉은 적은데 일은 하루 종일 해도 끝나지 않으니까 말입니다. 그나마 가끔 들어오는 영치금 덕분에 겨우 겨우 운영하는 중입니다."

횃대에 걸린 횃불이 밝혀지자 석실 내부가 환해졌다. 구석진 곳으로 숨어 들어간 검은 물체가 벌벌 떨며 얼굴을 가렸다.

누더기라고 부르기조차 민망한 옷을 걸친, 뼈만 앙상하게 남은 노인이었다.

반 평도 안 되는 석실 내부는 형편없었다. 썩은 거적이 깔려 있고, 대소변이 담긴 그릇에는 쥐들이 몰려 있었다.

그것만으로는 성에 차지 않은 몇몇 쥐들은 노인의 발가락을 깨물기도 했고, 심지어 강만리의 발을 노리기도 했다.

강만리는 가볍게 쥐들을 걷어차면서 노인에게 말했다.

"고개 좀 들어 보시오, 양 어르신."

노인은 벌벌 떨 뿐 여전히 두 손으로 얼굴을 가리고 있었다. 옥장이 혀를 쯧쯧 차며 다가가 노인의 손을 내리고 얼굴을 보여 주었다.

"이런."

강만리는 저도 모르게 한숨을 내쉬었다.

노인, 한때는 나는 새도 떨어뜨린다는 위세를 지닌 동창의 수장이었던 양옹의 두 눈은 퀭하니 검은 그림자만 깊게 파여 있을 뿐 아무것도 남아 있지 않았다.

"자는 와중에 쥐들이 파먹은 모양입니다. 아니면 장랑(蟑螂 :바퀴벌레)이 먹었거나요."

옥장은 늘 봐 왔던 것처럼 별일 아니라는 투로 말했다.

강만리는 다시 한숨을 내쉬었다.

'이런 상황이라면 차라리 죽는 게 나을 텐데, 굳이 목숨을 부지하는 이유가 따로 있을까?'

문득 그런 의문이 떠오르는 가운데 강만리는 주위를 둘러보며 양해를 구했다.

"잠시 자리를 비켜 주면 감사하겠소이다."

옥장은 물론 기유동은 '뭐 그럴 필요까지 있겠느냐?'는 표정을 지었지만, 강만리의 딱딱하게 굳은 얼굴을 보고는 알겠다는 듯 고개를 한 번 끄덕이고는 석실 밖으로 나갔다.

담우천이 그 뒤를 따라 석실 밖으로 나간 후 문을 닫았다. 그러고는 기유동과 옥장이 행여 엿듣지 못하도록 그 앞을 가로막았다.

"허험, 그럼 우리는 잠시 조옥을 둘러보러 가세."

눈치 빠른 기유동이 옥장을 끌고 저편으로 사라졌다.

강만리는 주변이 조용해진 후 한없이 초라해진 양옹을 내려다보면서 천천히 입을 열었다.

"아직 기억하고 계십니까? 강만리가 오랜만에 인사드립니다."

일순 노인, 양옹이 꿈틀거렸다. 그는 텅 빈 동공(瞳孔)으로 강만리를 보려는 듯 소리가 들려온 쪽으로 고개를 돌렸다.

강만리는 무심한 어조로 말을 이었다.

"한 가지 부탁이 있어서 찾아왔습니다."

강만리는 그의 앞으로 다가가 무릎을 구부려 앉으며 말했다.

"제 부탁을 들어주신다면 저도 양 어르신의 부탁을 들어줄 용의가 있습니다."

바로 그때였다.

엉금엉금 기어서 구석진 곳에 웅크리고 앉은 양옹이 갑작스레 두 손을 뻗어 강만리의 얼굴을 긁었다. 활력이 없어 보이던 양옹의 움직임이라고는 전혀 믿어지지 않을 정도로 그 움직임은 빠르고 날카로웠다.

그러나 강만리의 얼굴을 어찌해 볼 정도로까지 빠르고 날카롭지는 않았다. 더더군다나 지금의 강만리는 당시의 강만리보다 열 배는 강해져 있었다.

강만리는 가볍게 양옹의 두 손을 낚아채며 차분한 어조로 말했다.

"지금껏 목숨을 부지하고 끈질기게 버틴 이유가 분명히 있을 거라고 생각합니다. 그러니 잘 생각하십시오. 왜 지금껏 버티고 살아남았는지 말입니다."

그제야 양옹이 입을 열었다.

그는 오랜 세월 동안 한 마디 말을 하지 않아서 이제는 발음도 제대로 되지 않는 어눌한 말투로, 하지만 한가득 증오를 담은 목소리로 부들부들 떨면서 말했다.

"네놈을……."

강만리는 그의 다음 말이 이어지기를 차분하게 기다렸다. 양옹이 절반밖에 남지 않은 이를 갈면서 말했다.

"네놈을…… 죽이기…… 위해서다."

"거짓말입니다."

강만리는 무심한 표정으로 대꾸했다.

“언제 찾아올지 모르는 나를 죽이기 위해서 여태 끈질기게 살아남았다고요? 세 살배기 어린아이도 믿지 않을 겁니다. 사실대로 말씀하셔도 됩니다.”

“노옴…….”

단지 몇 마디 말을 한 것만으로도 양웅은 숨이 찬 듯 가쁘게 숨을 몰아쉬며 말을 끊었다. 아니, 어쩌면 뜨거운 용암처럼 분출되는 분노와 증오의 감정을 다스리지 못해서일 수도 있었다.

강만리는 계속해서 쏘아붙이듯 말을 이어 나갔다.

“절 죽이겠다는 건 지금 어르신 앞에 제가 서 있기 때문에, 과거의 잊고 있었던 기억이 불현듯 떠올랐기 때문입니다. 제가 나타나기 전까지는 까마득하게 절 잊고 있었을 겁니다. 아닙니까?”

양웅은 분을 주체할 수 없다는 듯 온몸을 부르르 떨었다. 강만리의 말은 계속 이어졌다.

“한 번 더 햇빛을 보고 싶은 겁니까? 그렇게 해 드리겠습니다. 아니면 다시 동창의 주인이 되고 싶은 겁니까? 제 힘이 닿는 한 도와 드리겠습니다.”

강만리는 저도 모르게 목소리에 힘을 실어 말하고 있었다.

“그러니 절 죽이기 위해서 버티고 또 버텼다는 그런 말도 안 되는 소리는 하지 마시고, 진짜 속마음을 이야기하십시오. 강만리라는 자가 거짓말은 하지 않는다는 거, 이미 경험해서 잘 알고 계시지 않습니까?"

부들부들 떨던 양옹은 한순간 거짓말처럼 축 늘어졌다. 그러고는 뻥 뚫린 눈으로 눈물을 흘리며, 한없이 나약해진 목소리로 흐느끼듯 말했다.

"한 번만…… 한 번만이라도……."

그의 목소리는 너무나도 미약해서 한껏 천조감응진력을 끌어올린 강만리조차도 쉽게 알아들을 수가 없었다.

양옹이 울면서 말했다.

"황상을 만나 뵙고…… 죽고 싶었네."

강만리는 가만히 양옹을 바라보다가 천천히 고개를 끄덕이며 말했다.

"그리해 드리겠습니다."

4장.

패착(敗着)

어쩌면 지금도 서로를 사랑한다 여길지도 모릅니다.
하지만 마음속으로만 사랑하고 그 사랑을 겉으로 드러내지 않으면,
결국 사랑하지 않는 것과 다를 바가 없게 되는 겁니다.
그 누구도 사람의 마음속을 알 수가 없으니까요.

패착(敗着)

1. 그날 오후

그날 오후가 되어서도 궁녀들은 돌아오지 않았다.

"아니, 교대 시간이 훨씬 지났는데 뭐 하는 거야? 이것들 진짜 보자 보자 하니까 안 되겠네?"

소설(小雪)이 짜증을 부리자 추분(秋分)이 가볍게 눈살을 찌푸리며 말을 받았다.

"아무리 놀기 좋아하는 청명(清明)과 소만(小滿)이라지만 지금껏 이렇게까지 무책임하게 군 적은 없었다고. 역시 분명 무슨 일이 생긴 거야."

소설도 가만히 듣고 있다가 문득 걱정스러운 표정을 지으며 의견을 구했다.

"아무래도 마마께 말씀드려야 하지 않을까?"

"그래야 할 것 같아. 대대적인 수색을 하려면 어쨌든 마마의 도움이 필요하니까."

추분이 고개를 끄덕였다.

그렇게 결론이 나자 두 궁녀는 곧바로 태자비의 거처로 들어섰다.

귀비탑에 비스듬이 기대어 누운 채 다른 궁녀들의 부채질을 받고 있던 태자비가 그녀들을 보고는 가볍게 성을 냈다.

"왜 이제야 오는 것이냐? 이 아이들이 하는 부채질은 하나도 시원하지 않은데 말이다."

이날 오후도 무더웠고 바람 한 점 없었다. 커다란 부채로 부치는 바람으로 겨우 더위를 식힐 수밖에 없는 상황이었는데, 아무래도 내공이 없는 일반 궁녀들의 부채질이라 그리 시원하지 않았던 모양이었다.

소설과 추분은 태자비 앞에서 허리를 숙이며 말했다.

"청명과 소만이 돌아오지 않고 있습니다, 마마."

"음?"

태자비가 몸을 일으켰다.

"아무래도 무슨 변고가 있는 게 분명합니다."

추분이 낮은 목소리로 말하자 소설이 얼른 말을 받아서 이어 나갔다.

"이렇게 오랫동안 자리를 비운 건 이곳 황궁에 온 후 처음 있는 일입니다, 마마. 아무래도 그녀들을 찾아 나서야 할 것 같습니다."

태자비는 이맛살을 모으며 말했다.

"굳이 너희들이 찾아 나설 필요는 없지 않느냐? 지 환관은 어디 있느냐? 그에게 일러 동창 무사들을 동원하도록 하라. 동창이 나선다면 일각도 안 되어 그녀들을 찾을 것이다."

"그럼……."

"아니, 너희들은 이리 와서 부채질을 하고. 너희들이 가서 지 환관을 찾아 그리 전하도록 해라."

태자비의 말에 잔뜩 피곤한 얼굴로 부채질을 하던 궁녀들이 활짝 미소를 지으며 대답했다.

"마마의 명을 따르겠습니다."

그녀들은 공손하게 커다란 부채를 내려놓은 다음 종종걸음으로 태자비의 거처를 빠져나갔다. 결국 태자비에게 붙잡힌 소설과 추분은 부채를 들고 흔들기 시작했다.

"아아, 역시 다르구나."

태자비가 지그시 눈을 감으며 말했다.

"우리 아이들에게도 무공을 익히도록 해야겠다."

소설과 추분은 서로를 바라보며 소리 없이 웃었다.

그때였다. 방금 거처를 빠져나갔던 궁녀들이 새파랗게

질린 안색을 한 채 황급히 되돌아왔다.

"무슨 일이냐? 벌써 지 환관에게 일러둔 게냐?"

"그, 그게…… 지 환관이 외인(外人)들을 안내하여 이곳으로 오는 중입니다."

"외인? 감히 어떤 자가……."

"어제 이곳을 방문했던 그자들입니다. 아, 그리고 동창의 관복을 입은 자도 있었습니다."

"뭐라고?"

궁녀들의 보고에 태자비는 저도 모르게 귀비탑에서 일어나 앉았다. 소설과 추분도 이 뜻밖의 상황에 당황하고 놀란 듯 저도 모르게 부채질을 멈췄다.

바로 그때였다.

"태자밀위 위장 강만리와 그의 수하들, 그리고 동창의 좌첩형 소진서가 마마를 뵙고자 합니다."

지 환관의 여인보다 더 아름다운 목소리가 문밖에서 들려왔다. 태자비의 눈썹이 절로 매섭게 휘어졌다.

"누구 마음대로 함부로 궁 안으로 들어선 게냐?"

그녀는 추상(秋霜)처럼 매섭게 소리쳤다. 그러자 지 환관의 대답이 들려왔다.

"황태자 전하 암살을 주도한 흉수에 대해 긴히 보고드릴 게 있다고 합니다."

일순 태자비의 안색이 급변했다. 소설과 추분도 경직되

었다.

'설마 우리의 존재를 알아차린 걸까?'

'어쩌면 청명과 소만의 실종도…….'

두 여인은 서로를 돌아보며 불안과 초조한 눈빛을 교환했다. 태자비도 당황한 듯 뒤를 돌아보며 그녀들을 향해 낮은 목소리로 물었다.

"어찌해야 하느냐?"

소설과 추분은 망설이다가 대답했다.

"흉수에 대해 보고하러 왔다는데 거절하면 그것도 이상할 겁니다."

"우선 이야기만 들어 보기로 하죠."

태자비는 고개를 끄덕인 후 냉랭한 목소리로 말했다.

"들어오라 이르라."

지 환관을 선두로 여섯 명의 사내들이 차례로 들어왔다.

사내들은 결코 태자비의 거처에서 고개를 들 수가 없는 법, 당연히 그들은 두 손을 모으고 허리를 숙인 채 걸어와 부복했다.

그러나 태자비는 그들이 누구인지 알 수 있었다. 앞의 네 명은 어제 찾아왔던 바로 그자들이었다.

멧돼지처럼 생긴 강만리를 필두로 담우천과 화군악, 그리고 그 빌어먹을 장예추인 게다.

그 뒤로 부복한 두 명의 사내는 모두 동창의 관복을 입고 있었는데, 한 명은 소 첩형관이었고 그 뒤에 있는 자는 소 첩형관의 수하일 게 분명했다.

두 개의 가림막 너머로 사내들이 부복하는 모습을 지켜보던 태자비가 싸늘한 목소리로 말했다.

"그래, 무슨 보고를 하러 왔기에 이리도 무례하단 말이더냐? 만약 보고가 시원치 않다면 내 반드시 이 무례에 대한 죄를 물 것이다."

"기대하셔도 좋을 겁니다, 마마."

맨 앞에 엎드린 자, 강만리가 차분한 어조로 대답했다.

"하지만 그 보고에 앞서 우선 말씀드릴 이야기가 있습니다. 조금 길기는 하지만 왜 흉수가 그런 범행을 계획하고 저질렀는지, 그 이유에 대한 설명이 되기에 빠뜨릴 수가 없는 대목입니다."

"그런데 왜 그런 보고를 내게 하는 게냐? 전하께 먼저 해야 하는 게 아니더냐?"

"황태자 전하께서는 오수(午睡) 중이시라 알현이 불가합니다. 그렇다고 이 귀중한 시간을 함부로 소비할 수 없어서 부랴부랴 마마께 달려온 것이니 부디 통촉하여 주시기 바랍니다."

태자비는 귀찮다는 듯이 손을 내저으며 말했다.

"알겠다. 대신 되도록 짧게 이야기하라."

"그리하겠습니다."

강만리는 부복한 채 헛기침을 하며 목청을 가다듬은 후 천천히 입을 열었다.

"황궁 사람들과 인맥을 쌓기 위해 가끔씩 북경부를 찾아와 선물을 바치고 인사를 하는 자들에 관해서는 소인이 따로 말씀드리지 않아도 너무나 잘 아실 겁니다."

태자비가 냉랭하게 대꾸했다.

"어디 그런 자들이 한둘이더냐?"

"그렇습니다, 마마. 누가 누구인지 알 수조차 없을 정도로 많은 사람이 그저 황궁에 계신 분들과 인사 한 번, 목소리 한 번 듣기 위해 방문할 테니까요. 그리고 그런 자들 중에서는 무림인들도 있을 테고요."

태자비는 말없이 강만리를 노려보았다. 강만리는 계속해서 말을 이어 나갔다.

"무림에 어느 한 가문이 있어서 여타 다른 귀족 가문들처럼 황궁에 줄을 대기 위해 종종 북경부를 찾았습니다. 귀한 선물은 물론이고, 황궁분들의 은밀한 부탁도 들어주면서 환심을 사고자 했습니다. 물론 그 은밀한 부탁이라는 게 대부분 마음에 들지 않는 자들을 손봐 달라는 일이겠지만, 또 한편으로는 겉으로 드러낼 수 없는 아주 은밀한 취향을 이뤄 달라는 부탁도 있었을 겁니다."

강만리의 긴 이야기에 태자비는 저도 모르게 마른침을

꿀꺽 삼켰다.

"황궁의 존귀하신 분 중 한 분도 그런 남모르는, 아니 남이 몰라야만 하는 은밀한 취향이 있었던 모양입니다. 무림의 가문은 그 은밀한 취향을 이뤄 드리기 위해 자신의 수하 한 명으로 하여금 수발을 들게 했습니다."

강만리는 게서 잠시 말을 끊었다.

물론 호흡을 가다듬기 위함이기도 하겠지만, 무엇보다 공기를 타고 전해져 오는 태자비의 현재 심정을 파악하기 위함에서였다.

'호흡이 가쁘고 맥이 빠르군.'

강만리는 천조감응진력으로 태자비의 상태를 확인하면서 다시 입을 열었다.

"가문의 수하는 그렇게 몇 차례 황궁을 찾아와 존귀하신 분의 수발을 들면서 황궁에 익숙해졌습니다. 처음의 긴장했던 모습에서 어느 정도 여유를 찾고 황궁 주변을 돌아보게 되었습니다."

강만리의 말이 거기까지 이어질 때, 태자비가 갑자기 짜증 섞인 목소리로 말했다.

"존귀하신 분이니 뭐니 하면서 굳이 말을 돌릴 필요가 없다. 사실대로 간단명료하게 이야기하도록 하라. 흥! 내가 이 어처구니없는 이야기를 듣고 있다는 것 자체가 매우 한심스럽기는 하다만."

"죄송합니다, 마마. 미천한 소인이 감히 함부로 황궁의 높으신 분들에 대해 왈가왈부할 수가 없었습니다. 하지만 마마의 지엄한 명령이 떨어졌으니 모든 걸 명확하고 정확하게 말씀드리겠습니다."

강만리는 태자비의 거침없는 성격이라면 반드시 그리 말할 줄 알았다는 듯이 말했다.

"삼황자 주건께서는 평소 몸이 약하셔서 황궁 밖 출입을 통제받으셨습니다. 그래서 강호무림의 이야기를 듣는 걸 매우 즐겨 하셨습니다. 무림의 가문은 그런 삼황자의 곁에서 강호의 이야기도 전해 드릴 겸, 겸사겸사 묘령의 아름다운 여인을 보내 삼황자를 수발하게 했습니다."

묘령의 아름다운 여인이라는 말에 태자비의 표정이 이상야릇하게 변했다. 물론 고개를 숙이고 있던 강만리와 다른 사내들은 전혀 그 변화를 눈치채지 못했다.

2. 사람들의 증언(證言)

"하, 한조. 한조라……."

양웅은 희미한 기억을 더듬으려는 듯 말꼬리를 흐렸다. 그리고 한때 천재 소리를 들을 정도로 기억력이 뛰어난 양웅답게 그는 이윽고 그 이름을 떠올렸다.

"그래, 기억나는군. 내게도 인사를 왔었지. 삼황자의 수발을 들게 되었다면서, 앞으로 잘 부탁한다고 말이지."

강만리의 눈빛이 달라졌다.

"태자비가 아니라 삼황자의 수발을요?"

"그렇다네. 수발이라고 해도 역시 밤 수발을 뜻하는 거겠지. 내게도, 내가 원하기만 한다면 천당의 쾌락을 맛보게 해 주겠다면서 눈웃음치던 모습이 눈에 선하군그래. 온갖 사람을 만나 왔던 내가 보기에도 아주 보기 드문 요물이었네."

"그가…… 음양인, 인요라는 걸 아셨습니까?"

"으음. 처음에는 몰랐네. 남장(男裝)이 그토록 잘 어울리는 계집은 없었으니까. 하지만 황궁에 익숙해지면서 가끔 여장(女裝)을 하더군. 그때도 놀랐네. 여장이 그토록 잘 어울리는 계집도 본 적이 없었으니까."

* * *

"황궁 생활에 익숙해진 그녀는 가끔 여장을 한 채 주변을 돌아다녔습니다. 아무래도 남장보다는 여장이 황궁에서 움직이기 수월했을 테니까요."

강만리는 계속해서 말했다.

"그녀는 산책하다가 우연히 그녀보다 아름다운 귀부인

과 마주치게 되었습니다. 그녀는 귀부인을 보자마자 사랑에 빠졌고, 귀부인은 낯선 그녀에게 흥미를 느꼈습니다. 그녀는 무척 이야기를 잘하는 편이었고, 귀부인은 삼황자처럼 그녀가 전해 주는 강호무림의 이야기에 빠져들었습니다."

태자비는 저도 모르게 귀비탑의 팔걸이를 움켜쥐었다.

"그녀는 이제 삼황자보다 귀부인을 만나기 위해 황궁을 찾게 되었습니다. 무림의 가문도 황궁 사람들과의 인맥을 넓힐 수 있다는 점에서 그녀의 그런 행동을 좌시하였지요. 귀부인 또한 마음을 터놓고 이야기할 수 있는 친구가 생겼다며 좋아했습니다만……."

강만리는 게서 말꼬리를 흐리며 한숨을 돌렸다.

태자비의 두근거리는 맥박 소리가 강만리의 귓전에 크게 울려 퍼졌다.

'한 번만 얼굴을 볼 수 있다면 좋겠는데.'

강만리는 고개를 들어 태자비의 얼굴을 확인하고 싶다는 생각을 억지로 눌러 참아 내며 이야기를 이어 나갔다.

"아쉽게도 그녀는 달랐습니다. 그녀는 귀부인을 친구로서 좋아한 게 아니라 연인으로서 사랑했던 겁니다. 마침 귀부인은 바깥나들이를 좋아하고 정무(政務)에 바쁜 남편으로 인해 외로워하고 있었는데, 그녀는 그 빈틈을 교묘하게 파고들어 마침내 귀부인을 함락시켰습니다."

"말도 안 되는 소리!"

태자비가 버럭 소리쳤다.

"사내도 아닌 여인이 무슨 방법으로 여인을 함락시킬 수 있다는 말이냐? 그런 허무맹랑한 소리를 집어치워라!"

일순 소설과 추분이 서로를 돌아보며 살짝 얼굴을 붉혔다. 청명과 소만처럼 그녀들 역시 여인끼리의 정사를 종종 즐겼던 까닭이었다.

"물론 마마의 말씀이 옳습니다."

강만리는 침착하게 말했다.

"일반적인 취향이라면 전혀 그런 생각을 하지 못하는 게 당연할 겁니다. 당시 귀부인도 그랬기 때문에 그녀의 접근을 전혀 이상하게 생각하지 않았던 것이고요. 하지만 놀랍게도, 믿을 수 없게도 그녀는 한 몸에 사내와 여인의 성징(性徵)을 지닌 음양인, 인요였던 겁니다."

태자비는 입술을 꽉 깨문 채 강만리를 잡아먹을 듯이 노려보았다.

"처음에는 여인들끼리의 장난처럼 시작했습니다. 하지만 그녀는 노련하고 능숙했으며, 그 누구보다도 뛰어난 기술을 가지고 있었습니다. 귀부인이 정신을 차렸을 때는 이미 그녀와 뜨거운 하룻밤을 보낸 후였습니다."

"마, 말도 안 되는 소리!"

다시 태자비가 소리쳤다. 하지만 조금 전보다는 왠지 모르게 힘이 빠진 목소리였다.

강만리는 태자비가 다시 소리치지 못하게끔 빠르게 입을 놀렸다.

"아마도 그녀는 자신이 갈고닦은 모든 기술과 기교를 총동원하여 귀부인을 농락했을 겁니다. 그리고 평생을 고귀함과 정숙함 속에서 살아왔던 귀부인에게 있어서 그런 충격은 없었을 겁니다. 귀부인은 그녀를 죽이려 했으나, 친구가 되어 함께 웃고 떠들었던 추억들과 그 황홀했던 밤의 기억은 차마 그녀를 죽일 수 없게 만들었을 겁니다."

"뭐, 뭐냐?"

태자비가 서둘러 말했다.

"지금 네가 하는 말은 모두 추측이지 않더냐? 하나라도 이렇다 할 증거가 없지 않느냐?"

"증거는 이야기가 끝난 후 보여 드리겠습니다. 마마."

강만리의 차분한 말에 태자비는 숨이 막힌 듯한 표정을 지었다.

'증거가 있단 말이냐?'

차마 물을 수가 없었다. 태자비는 그저 떨리는 가슴과 마구 뛰는 가슴을 진정하려 애를 쓸 따름이었다.

'아니다. 증거가 있을 리 없다.'

강만리는 태자비가 정신을 차릴 틈도 주지 않고 계속해

서 말을 이어 나갔다.

"물론 축객령은 내렸을 겁니다. 두 번 다시 자신의 눈에 띄었다가는 반드시 죽이겠다는 엄포도 했을 겁니다. 하지만 시간이 흐르면서 귀부인은 그녀와 함께 보냈던 시간을 그리워하고 갈구하게 됩니다. 여전히 남편은 정무에 바쁘고 또 몇 달씩이나 황궁을 떠나 대륙 전역을 돌아다녔으니까요."

순간 누군가의 한숨 소리가 희미하게 들리는 것 같았다. 강만리는 여전히 이야기를 계속했다.

"귀부인의 외로움이 극에 달했을 때, 마치 그걸 알고 있던 것처럼 그녀가 다시 귀부인 앞에 나타납니다. 죽는 한이 있더라도 한 번만 더 귀부인을 보고 죽겠다면서 말이죠. 아아, 순수하고 청초한 귀부인은 결국 그녀의 능수능란한 거짓말에 속아 넘어가게 됩니다."

강만리는 게서 잠시 말을 끊었다.

태자비가 어떻게 나올지 반응을 기다렸지만 그녀는 더 이상 소리치지 않았다. 강만리는 잠시 호흡을 가다듬은 후 재차 입을 열었다.

"그녀의 달콤한 거짓말과 황홀한 기교로 인해 결국 귀부인은 사랑에 빠집니다. 있어서는 안 되는 일이 일어난 거지요. 귀부인의 남편은 어디까지나 차기 황제가 될 분이니까 말입니다."

"허, 헛소리!"

결국 태자비가 다시 소리쳤다. 그녀는 주먹을 불끈 쥐며 악을 썼다.

"그럼 내가 그 귀부인이라는 말이더냐? 지금 그대는 내가 사내도 계집도 아닌 자에게 홀려 불륜을 저질렀다고 주장하는 게더냐? 그런 망발을 하고서도 감히 살아남을 수 있을 거라고 생각하느냐!"

태자비는 분을 참지 못한 듯 온몸을 부르르 떨면서 주위를 둘러보았다.

"뭣들 하느냐? 당장 이자를 잡아다가 하옥시키지 않고! 지 환관! 소 첩형! 그대들은 이 허무맹랑한 망발을 하는 자들의 목을 쳐라!"

태자비의 지엄한 분부가 떨어졌다.

하지만 지 환관도, 소 첩형관도 부복한 채로 부들부들 떨고 있을 뿐 전혀 그녀의 명령을 들을 생각을 하지 않았다.

태자비는 황당하다 못해 미칠 것 같은 표정을 지으며 목청을 높였다.

"지금 네놈들도 감히 내 말을 거역하는 것이냐? 소설, 추분은 당장 저자들은 해치워라!"

소설과 추분은 바로 몸을 날려 강만리를 죽이려 했다. 하지만 한 걸음도 움직일 수가 없었다.

지면을 걷어차려는 순간, 그녀들을 향해 폭사된 사방에서 옭아오는 살기, 동시에 그들의 귓전으로 파고드는 날카로운 전음 때문이었다.

-죽고 싶으면 움직여도 좋다.

지저갱에서 흘러나오는 듯한 무정하고, 또 무정한 목소리가 그녀들의 발목을 움켜쥐는 듯했다. 소설과 추분의 안색이 창백해졌다.

'고수다.'

그것도 그녀들 정도로는 감히 어찌해 볼 수 없을 정도의 가공할 무위를 지닌 고수.

태자비는 그녀들조차 자신의 말을 듣지 않자 광란에 가까운 몸부림을 치며 소리쳤다.

"도대체 뭐냐? 왜 모두가 내 말을 듣지 않는 게냐!"

그때였다.

강만리가 입을 열었고, 묵직한 목소리가 무형의 쇠사슬처럼 태자비를 옭아맸다.

"조금만 더 들어 주십시오. 이제 다 끝나 가니까요."

강만리는 여전히 고개를 숙인 채 말을 이었다.

"사랑할수록, 그녀에게 빠져들수록 귀부인은 불안하고 초조하고 두려웠을 겁니다. 언제까지 그 사랑을 숨길 수 있을까, 행여 남편에게 들키지는 않을까. 늘 가슴이 답답하고 마음이 불안정하여 약을 복용해야 했습니다. 그건 태의원의 의관들이 증언해 줄 겁니다."

강만리가 이날 아침 태의원을 방문했던 건 바로 그 부분을 조사하기 위함이었다.

* * *

"그렇군요. 확실히 당시 태자비께서 몸이 좋지 않아 진맥한 후 약을 달여 드렸던 기억이 있습니다."

태의원의 원사 조소금은 기억을 더듬어 가며 그렇게 말했다.

"무슨 일인지는 모르겠지만 매우 불안해하고 초조해하셨던 거로 기억합니다. 그래서 맥이 평소보다 빠르고 호흡도 불안정하고 별것 아닌 일에도 매우 놀라거나 갑작스레 우울해하거나 숨을 쉬지 못하시는 때도 있었습니다."

"얼마나 약을 복용하셨소이까?"

강만리의 질문에 조소금은 신중하게 생각한 후 대답했다.

"일 년은 족히 드셨던 것 같습니다. 이후 마음의 안정을 찾으셨는지 맥이 좋아지고 호흡이 평소로 되돌아오셔서 더는 드시지 않으셨습니다."

3. 한조는 일어나라

"그런 불안함 속에서도 귀부인의 그녀에 대한 사랑은 더욱 커져 갔습니다."

태자비의 발작이 멈추고 조용해진 대청에는 오직 강만리의 목소리만이 울려 퍼지고 있었다.

"언뜻 보면 이해하기 힘들고 묘한 일이지만, 원래 사랑이라는 게 그런 겁니다. 남들이 다 반대할수록 사랑은 깊어지게 되고, 또 초조하고 불안할수록 반대급부적으로 사랑에 집착하게 됩니다. 그래서 불륜이 일반적인 사랑보다 더 뜨겁게 타오르는 거고요."

분노와 증오와 불안감이 도를 넘어서였을까. 태자비는 귀비탑에 축 늘어졌다. 묘하게도 그런 태자비의 눈빛은 그 어느 때보다도 깊게 가라앉아 있었다.

강만리는 계속해서 말했다.

"그렇게 외줄 타기를 하면서 끈끈한 사랑을 하던 귀부인에게 충격적인 보고가 들려왔습니다. 사랑하던 그녀가 어느 날 갑자기 목숨을 잃었다는 보고였죠. 귀부인은 천하를 잃은 것보다 더 큰 슬픔에 빠져 좌절했습니다. 물론 이제 그녀가 세상에 없으니 가슴 졸일 일도, 부끄럽고 수치스러워할 일도 없어졌지만 그것보다 더 큰 분노와 증오가 귀부인의 가슴 깊은 곳에 자리 잡았습니다."

이제 강만리의 이야기는 절정으로 향하고 있었다. 그는 나지막하게 한숨을 내쉬면서 말을 이어 나갔다.

"그리고 세월이 흘렀습니다. 여전히 귀부인의 남편은 정신없이 바빴습니다. 황궁에 큰일이 생기기도 했습니다. 귀부인은 언제나처럼 외로웠고, 그래서 계집처럼 생긴 환관이나 젊고 건장한 사내를 침소로 불러들여 하룻밤을 즐기기도 했습니다. 그러나 그들로는 절대 만족할 수가 없었을 겁니다. 그들은 그저 어디까지나 하룻밤 상대에 불과했죠. 귀부인은 아직도 그녀를 사랑하고 있었으니까요."

* * *

환관 지천경은 시퍼렇게 빛나는 칼날이 제 목에 와닿자, 온몸에 소름이 돋는 걸 느끼며 저도 모르게 소변을 지렸다. 동시에 정액(精液)을 발출하는 것만 같은 쾌감을 느끼며 그 자리에 주저앉고 말았다.

믿을 수 없었다. 자신에게 이런 성적 취향이 있을 줄이야.

화군악은 지천경이 지린 걸 보고는, 그리고 절정에 오른 듯한 그의 표정을 보고는 한숨을 쉬며 중얼거렸다.

"정말 세상에는 온갖 사람들이 다 있구나."

그는 다시 칼을 들어 지천경의 목에 피를 내며 물었다.
"이미 다 알고 왔으니 거짓말을 할 필요는 없다. 그래, 태자비에게는 몇 차례 수발을 들었느냐?"
지천경은 눈을 감으며 포기한 듯한 표정으로 혹은 허탈한 듯한 얼굴로 천천히 말했다.
"세 번 정도 시중을 들었습니다만 그게 끝이었습니다. 지난 이 년간 아무 일도 없었습니다."
장예추가 물었다.
"소 첩형은 그대가 소개해 준 겐가?"
"그렇습니다. 소 첩형이 마마를 연모하는 걸 우연히 알게 된 후, 마마께 그 사실을 전했습니다. 마마께서는 흥미를 느끼시고 한 차례 그를 불러 밤을 보내셨는데, 아마도 마마의 취향이 아니었는지 더는 부르지 않으셨습니다. 이틀이나 가지고 놀 정도의 장난감도 아니었던 거겠죠."

"아니오!"
소진서는 크게 부르짖었다.
"마마께서는 날 사랑하셨소! 그날 밤 내 귀에 대고 흐느끼며 사랑한다 하셨던 말씀이 아직도 내 귓가에 남아 있소이다! 그 뜨거운 숨소리와 달콤한 목소리가 이렇게 생생하기만 한데, 나를 장난감 취급하셨다니! 말도 안 되는 소리요!"

소진서의 거친 항변을 들으며 강만리는 사내가 한 번 사랑에 빠지면 얼마나 외골수가 되는지 알 것 같았다. 그리고 이렇게나 지독한 사랑의 열병을 앓고 있는 자라면 충분이 제 역할을 할 수 있을 거라고 생각했다.

강만리는 차분한 어조로 말했다.

"우선 동창의 관복 한 벌을 내주시오. 그리고 나와 함께 태자비의 궁으로 갑시다. 가서 직접 태자비의 이야기를 들읍시다."

소진서는 두려움에 벌벌 떨면서도 다시 한번 사랑하는 태자비를 만날 수 있다는 생각만으로 벅찬 듯 눈물을 흘리면서 고개를 끄덕였다.

"알겠소이다. 가서 마마를 찾아 뵙고, 마마께서 아직도 나를 사랑하고 계신다는 걸 증명해 드리리다."

* * *

이마를 대청 바닥에 찧은 채 부복하고 있던 지 환관과 소 첩형관의 몸이 부르르 떨리는 가운데, 강만리의 차분한 목소리는 어느새 조용해진 대청 가득 퍼져 나가고 있었다.

"그런데 며칠 전 그녀를 죽였던 장예추라는 자가 감히 귀부인 앞에 나타난 것입니다. 몇 년의 세월 동안 아무도 모르게 키우고 있던 귀부인의 살심(殺心)이 폭발하게 되었죠. 그에 귀부인은 그녀를 보낸 가문의 도움을 받아 장예추를 죽이려 했습니다. 바로 저 궁녀들을 통해서 말입니다."

강만리의 말에 소설과 추분은 벌벌 떨었지만 정작 태자비는 아무런 반응도 보이지 않았다.

그녀는 더 이상 화를 내지도 소리치지도 않았다. 그저 한없이 서늘하고 냉정한 시선으로 강만리를 내려다보고 있을 따름이었다.

"마마께서는 소인의 이야기가 아직도 허무맹랑한 망발이라고 생각하시는지요?"

강만리의 물음에 태자비는 대답할 가치가 없다는 듯 굳게 입을 다물었다.

강만리는 잠시 기다렸다가 입을 열었다.

"그럼 이제부터 증거를 보여 드릴까요?"

"그보다 먼저."

침묵하고 있던 태자비가 불쑥 입을 열었다.

분노가 과하면 외려 침착해지는 것일까. 그녀는 감정을 정제한 채 이성적인 목소리로 물었다.

"전하를 독살하고자 한 흉수와 그 귀부인이 어찌 연결되는 게냐?"

"그야 전하가 한없이 미웠기 때문입니다."

강만리는 여전히 정중하고 조심스러운 어조로 대답했다.

"순결하고 정숙하고 현명한 귀부인을 외롭게 만들어 한조라는 자와 사랑에 빠지게 했던, 또 하룻밤 여흥거리도 안 되는 사내와 환관을 침소로 끌어들이게 했던, 그런 남편의 무심함이 죽이고 싶을 정도로 미웠기 때문입니다."

따지고 보면 말도 안 되는 소리이기는 했다. 여자의 바람은 결국 남자가 잘못했기 때문에 일어나는 거라는 주장이었으니까.

하지만 그렇게 사내들에게 책임을 전가하는 여인들이 없지 않다는 것도 사실이었다. 그리고 그건 그녀들이 현실에서 도피하기 위한 방법 중 하나이리라.

"물론 남편은 분명 귀부인을, 그리고 귀부인은 남편을 사랑했습니다. 어쩌면 지금도 서로를 사랑한다 여길지도 모릅니다. 하지만 마음속으로만 사랑하고 그 사랑을 겉으로 드러내지 않으면, 결국 사랑하지 않는 것과 다를 바가 없게 되는 겁니다. 그 누구도 사람의 마음속을 알 수가 없으니까요. 특히 감옥처럼 갇혀서 살아가는 궁중의 사람들에게는 확실한 말 한마디가, 손길 한 번이 진정한 사랑보다 더 큰 의미로 다가올 겁니다."

"됐다."

강만리의 긴 이야기가 듣기 싫다는 듯 태자비는 손을 내저으며 매몰찬 어조로 강만리의 말을 잘랐다.

"그런 궤변을 듣고자 한 게 아니다. 조금 전에도 말했지만 모든 건 그대의 추측이고 상상의 산물에 불과하다."

태자비는 싸늘한 눈빛으로 강만리를 바라보며 물었다.

"결국 그 귀부인이 남편을 어찌 생각하는지도 모두 그대의 상상이 아니더냐?"

강만리는 부인하지 않았다.

"물론 그럴지도 모릅니다. 소인 역시 사람의 마음속을 들여다보는 재주까지는 갖고 있지 않으니까요. 하지만 귀부인과 그녀의 사랑은 상상이 아니라 사실이며, 귀부인이 남편을 해하려 한 것 역시 허구가 아닌 현실입니다. 이제……."

"이제 그 증거를 보여 주겠다?"

"그렇습니다."

"그래, 어디 한번 보여 줘 봐라. 진짜 제대로 된 증거가 아니라면……."

"소인과 가족의 목숨을 걸겠습니다."

두 사람의 기가 팽팽하게 맞섰다.

조금 전까지 흥분하고 초조하고 불안해하던 태자비는 어디에고 없었다. 귀비탑에 똑바로 앉아 있는 그녀에게서는 위압감과 품위와 권위가 넘쳐흐르고 있었다.

물론 강만리는 전혀 기죽지 않았다. 여전히 그는 침착하고 평온한 목소리로 천천히 말했다.

"한조는 일어나라."

일순 믿을 수 없는 일이 벌어졌다.

맨 후미에 부복하고 있던 동창 복장을 하고 있던 자가 천천히 몸을 일으켜 세웠다.

강만리의 느닷없는 명령에, 그리고 동창의 관복을 입은 자의 느닷없는 행동에 태자비가 깜짝 놀라며 헛바람을 들이 삼켰다.

소 첩형관도 놀란 나머지 저도 모르게 고개를 들어 뒤를 돌아보았다.

사실 소진서는 그가 누구인지 전혀 모르고 있었다. 단지 소진서는 강만리의 부탁을 받아 동창 관복을 건네주었을 뿐이었다.

강만리의 명에 따라 자리에서 일어난 자가 천천히 고개를 드는 순간, 태자비의 안색이 새파랗게 질리고 말았다. 그녀는 경악과 불신과 당황이 뒤섞인 표정으로 사내의 얼굴을 멍하니 바라보았다.

사내이되 여인이었던, 여인이되 사내였던, 태자비가 그토록 사랑했던 바로 그의 얼굴이 거기에 있었다.

"살아 있었던 게냐, 그대는……."

넋을 놓은 채 중얼거리던 태자비는 이내 자신의 실수를

깨닫고 얼른 입을 다물었다. 동시에 그녀는 그에게서 시선을 떼지 못한 채로 황급히 고개를 저으며 변명하려 했다.

"아니다. 나는 전혀 모르는 사람이……."

하지만 태자비의 말은 이내 비명처럼 터져 나온 소설과 추분의 외침에 가려졌다.

"단주!"

"살아 계셨습니까?"

그녀들은 한조의 얼굴을 보고 놀람과 기쁨에 겨워 저도 모르게 소리쳤다가 이내 낭패한 얼굴이 되었다. 자신들이 결코 입에 올려서는 안 되는 말을 했다는 걸 뒤늦게 알아차린 것이다.

태자비를 포함한 세 여인의 얼굴이 한순간 추악하게 일그러졌다.

그랬다.

그게 바로 패착(敗着)이었다.

5장.

애증(愛憎)

어쩌면 한조는 그런 불균형하고 불공평한 세상이 만들어 낸,
일그러진 영웅 같은 게 아니었을까.
사내를 만족시키고 여인을 절정으로 보내는 두 개의 물건과 능력을 지닌 자.
그야말로 공평하고 완벽하게 균형을 갖춘 '인간(人間)'이
바로 한조라는 인요가 아닐까.

애증(愛憎)

1. 이제 넌 내 것이다

동창의 복장을 한 사내는, 마치 계집이라고 착각할 정도로 곱상하게 생겨서 요기(妖氣)에 가까운 기이한 기운을 흘리고 있었다.

단 한 번이라도 마주친다면 결코 잊을 수 없을 정도로 강한 충격과 각인(刻印)을 주는 자였다.

바로 그자가 음양인, 인요인 한조였다.

한조는 고개를 돌린 태자비를 향해 야속한 듯, 혹은 화가 난 듯한 표정을 지으며 입을 열었다.

"왜 저를 외면하십니까?"

태자비가 벌벌 떨었다.

"나는, 나는 그, 그대를 모른다."

한조는 가볍게 한숨을 쉬고는 그녀 뒤에 멍하니 서 있는 소설과 추분을 향해 다시 말을 꺼냈다.

"너희들은 날 외면하지 않겠지?"

소설과 추분이 엉겁결에 대답했다.

"무, 물론입니다, 단주."

"당연하……."

하지만 그녀들은 또다시 황급히 입을 다물어야 했다. 그녀들의 얼굴은 혼란과 혼돈의 빛으로 가득 차 있었다.

'분명 단주가 죽었다는 소식을 들었어.'

'그때 사천당문에서 명예로운 전사(戰死)를 하셨다고 했는데……. 그렇다면 저 사람은 도대체 누구지?'

소설과 추분이 속으로 그렇게 중얼거릴 때, 한조는 마치 그녀들의 속내를 읽고 있다는 듯 입을 열었다.

"그렇구나. 너희들도 내가 사천당문에서 죽었다고 이야기를 들었나 보구나."

소설이 저도 모르게 반응했다.

"그럼 거짓 보고였던 건가요?"

"그래."

한조는 미미하게 웃으며 말했다.

"그때 나는 중상을 입고 사천당문의 포로가 되었지. 그들은 온갖 방법을 다해서 나를 고문하고 취조하며 내 배후를 밝히려고 했지만, 나는 끝까지 입을 다물고 버텼단다. 그 결과가 바로 이거야."

한조는 처연한 미소를 지으며 소매에 가려져 있던 오른손을 꺼내 들었다. 일순 소설과 추분은 물론, 고개를 돌린 채 곁눈질로 한조를 바라보고 있던 태자비마저 신음을 흘리고 말았다.

"아!"

"이런……."

한조의 오른손은 손목 부분에서부터 싹둑 잘려 나가 있었다. 그나마 치료가 잘되었는지 잘린 부분은 새 살이 돋아 뭉툭하게 변해 있었는데, 마치 몽둥이의 끝자락처럼 매끈해 보였다.

한조는 피식 웃으며 말했다.

"내 물건보다 클 거야."

"확실히 그러네…… 헙!"

소설이 저도 모르게 따라 웃으며 말하다가 얼른 두 손으로 입을 가렸다.

한조는 다시 소매로 잘린 손을 가리며 태자비에게 말을 건넸다.

"그 지옥 같은 곳에서 도망칠 수 있었던 건 천우신조(天佑神助)였습니다. 그리고 마마에 대한 사랑이 식지 않았기 때문에 가능했던 일입니다. 마지막으로 한 번만 더

보고 싶다는, 죽더라도 마마 곁에서 죽고 싶다는 일념으로 끝까지 살아 버티고 마침내 탈출할 수 있었으니까요."

부들부들 떨면서 묵묵히 듣고 있던 태자비의 눈빛이 한순간 예리하게 반짝였다.

"거짓말."

그녀는 어느새 냉랭해진 눈빛으로 한조를 바라보면서 입을 열었다.

"어느 안전이라고 감히 그런 거짓말을 하는 게냐? 나는 그대 같은 자는 전혀 알지 못한다. 왜 나를 속이려 드는 게냐?"

일순 강만리의 심장이 두근거렸다.

'들켰나?'

하지만 한조는 무심한 어조로 가만히 태자비를 지켜보다가 불쑥 입을 열었다.

"이제 넌 내 것이다."

"아아!"

태자비가 허물어지는 순간이었다.

억지로 몸을 곧추세우고는 있었지만, 귀비탑의 팔걸이를 움켜쥔 태자비의 손이 파들파들 떨렸다.

이제 넌 내 것이다.

그 말은 한조와 처음 몸을 섞은 후 그가 했던 말이었다.

처음 겪어 보는 황홀경 속에서도 후회와 수치와 자조로

인해 고개를 들 수 없던 그녀를 한없이 부드럽게 끌어안으며 한조는 다정하면서도 완강하고 강인한 어조로 그렇게 말했다.

"이제 넌 내 것이다. 더 이상 너는 황태자의 아내가 아니다. 너의 모든 걸 내가 가질 테니까. 그 은은한 눈빛, 달콤한 미소, 부드러운 목소리, 이 가슴과 허리와 허벅지는 물론 네 마음까지 내가 모두 가질 테니까."

한조는 그녀와 입을 맞춘 후 다시 말했다.

"그리고 나는 이제 네 것이다. 내 모든 걸 네게 줄 테니까. 내 몸도 마음도, 정신도, 사랑도, 그리고 나의 이 목숨도 이제 모두 너의 것이다."

"아아……."

태자비는 한조를 바라보면서 눈물을 흘리고 있었다.

당장 달려가 끌어안고 싶었지만, 왜 이제야 돌아왔느냐며 투정도 부리고 싶었지만, 마지막 남은 인내력으로 끝까지 참아 내는 대신 그녀는 하염없이 울고 있었다.

'저, 저놈이…….'

소진서는 눈이 튀어나올 정도로 한조를 노려보았다.

그랬다. 바로 저 계집처럼 생긴, 언뜻 보면 지 환관가 비슷하게 보이는 저 개자식이야말로 소진서가 사랑하고 연모하는 태자비를 울게 만들고 미치게 만든 자였다.

그리고 소진서 자신을 버림받게 만든, 둘도 없는 연적(戀敵)이었다.

'저놈이 아니었다면 그녀는 나를 사랑했을 것이다!'

소진서는 속으로 외치며 문득 태자비를 돌아보았다.

그리고 두 개의 가림막 너머로 태자비가 그는 신경도 쓰지 않은 채 오로지 한조만을 바라보며 눈물을 흘리는 모습이 그의 불타오르는 눈동자에 투영되었다.

'왜, 왜…… 내가 아닌 건데?'

순간 걷잡을 수 없는 질투가 그의 전신을 휘감았다. 질투는 곧 증오와 분노로 바뀌었고, 그 격렬한 감정에 소진서의 이성이 까마득하게 날아갔다.

오로지 본능만이, 활활 타오르는 감정만이 그의 정신과 육체를 지배하는 바로 그 순간!

"죽어라!"

소진서가 발작적으로 몸을 일으켜 한조를 덮쳤다.

"안 돼!"

동시에 태자비의 입에서 비명이 터져 나왔다.

* * *

그날, 강만리와 담우천도 정신없이 바빴지만 화군악과

장예추, 정유도 새벽부터 눈코 뜰 새 없이 움직여야 했다.

그들 세 사람은 궁문(宮門)이 열리자마자 밖으로 달려 나갔다. 길거리에 행인들이 오가는 것도 아랑곳하지 않은 채 곧장 경공술을 펼쳐 지붕 위로 날아오른 그들은 이내 지붕과 지붕 사이를 날아서 채석장으로 향했다.

이른 시각인지라 채석장의 사람들은 아직 잠들어 있었다. 화군악과 장예추, 정유는 곧장 구석진 곳에 있는 별채로 달려갔다.

불과 이틀 전 화군악이 다가갔다가 하마터면 쇠화살 세례에 벌집이 될 뻔했던 바로 그 별채였다.

"설 형님! 급한 용무입니다!"

"어서 나와 주십시오! 강 형님의 생사가 걸려 있습니다!"

별채 밖에서 화군악과 장예추, 정유는 크게 소리쳤다. 얼마 지나지 않아 별채 안쪽에서 막 잠에서 깬 듯한 헌원중광의 목소리가 들려왔다.

"무슨 일이냐?"

장예추가 다급하게 말했다.

"설 형님이 필요합니다! 자칫 지체하다가 강 형님과 담 형님은 물론 화평장 식구 모두의 목숨이 위험해질 수 있습니다!"

그 목소리에 실린 초조함과 진심을 느낀 것일까. 그때

와는 달리 벌컥 별채의 문이 열렸다. 그러고는 헌원중광이 긴장한 눈빛으로 세 사내를 돌아본 후 고개를 끄덕이며 말했다.

"게서 기다리고 있거라. 곧 나올 테니까."

"우리가 들어가서……."

"아니, 거기 있어라."

헌원중광은 화군악의 말을 매정하게 자른 후 다시 문을 걸어 잠갔다.

"도대체 저 안에서 무슨 일을 하는데 우리에게 보여 줄 생각을 하지 않는 걸까?"

시간이 촉박한 와중에도 화군악은 그렇게 의아해하며 중얼거렸다. 정유가 가볍게 눈살을 찌푸리며 말했다.

"그건 나중에 차차 알아도 될 일일세. 지금은 눈앞의 일에 집중해야 하네."

"물론입니다, 정 형님."

화군악이 고개를 끄덕일 때, 설벽린이 문을 열며 밖으로 나왔다. 그의 얼굴을 확인한 화군악과 장예추가 이내 한숨을 내쉬며 고개를 저었다.

"이런 젠장."

"아니, 도대체 그동안 무슨 일을 했기에 그리 얼굴이 상하셨습니까?"

화군악과 장예추의 반응에 설벽린은 영문도 모른 채 어

리둥절한 표정을 지었다.
"왜? 내가 어째서?"
화군악이 짜증 섞인 목소리로 대꾸했다.
"그 요염하고 매력적인 얼굴은 어디 가고 초췌하기만 한 수염투성이의 사내 얼굴이 있는 겁니까?"
설벽린은 황당한 얼굴이 되었다.
"그럼 넌 수염도 안 나?"
"아뇨, 됐습니다. 지금 중요한 건 그게 아니니까요. 자, 서둘러 돌아갑시다. 우리가 늦으면 형님들에게 큰 문제가 생깁니다."
"아니, 도대체 무슨 일인데 그래?"
"가면서 설명할게요."
설벽린은 어처구니가 없었지만 그들의 표정이 진지하고 급박한 걸 느꼈는지 말없이 그들을 따라 궁으로 돌아왔다.
별채 객청의 탁자에는 미리 준비한 염료와 지분들이 펼쳐져 있었다. 화군악과 장예추는 설벽린을 탁자 앞에 앉힌 다음 한없이 진지하고 진중한 표정을 지은 채 의견을 나눴다.
"기억나?"
"물론이지. 그 요사스러운 얼굴을 어찌 잊겠어?"
"하기야 그와 싸우느라 정신이 없던 나와는 달리, 너는 그를 껴안고 입을 맞추……."

"아아, 그만하라고! 그 끔찍했던 기억이 되살아나잖아?"

두 사람은 티격태격 싸우면서도 기억을 더듬어 가며 설벽린의 얼굴에 화장하기 시작했다.

화군악이 익힌 분장술(扮裝術)과 장예추의 구전역형신공으로 대변되는 역용술(易容術)은 곧 설벽린을 비슷하면서도 전혀 다른 한 명의 여인의 용모로 바꿔 놓았다.

이곳 별채로 오는 동안 정유로부터 무슨 일인지 세세한 설명을 들은 설벽린은 당혜혜의 동경(銅鏡)까지 가져와 제 얼굴을 확인하고 서툴거나 어색한 부분을 스스로 고쳤다.

"흠, 이 정도면 된 것 같아."

화군악이 자신만만한 어조로 말했다.

"조금 떨어진 거리에서 보면 나라도 속아 넘어갈 거 같거든. 아아, 예전의 그 끔찍했던 기억이 다시 떠오르네."

"그의 얼굴은 나보다 네가 더 잘 알고 있으니 네가 그렇다면 그런 거겠지."

"허어, 진짜 요물의 얼굴이네. 언뜻 보면 더없이 아름다운 여인 같지만, 또 한편으로는 또 한없이 잘생긴 사내 같아 보이니."

지켜보던 정유가 감탄하며 고개를 끄덕이다가 문득 생

각난 듯 화제를 돌렸다.

"그럼 강 형님이 동창의 관복을 가져오신다고 하셨으니 그걸로 갈아입으면 되겠군. 그리고 나는 슬슬 들것을 준비하러 가 봐야겠네."

"수고하십시오, 형님."

"고생들 하게."

정유는 사람들과 인사를 나눈 후 곧장 별채를 나섰다.

화군악은 자신의 작품을 감상하듯 설벽린의 얼굴을 바라보다가 새삼스러운 표정으로 중얼거렸다.

"역시 기본 바탕이 좋으니까 제대로 얼굴이 살아나는군요. 정말 비슷합니다."

설벽린은 가볍게 눈살을 찌푸렸다.

"그거 칭찬이야?"

"물론이죠. 저나 예추가 한조로 변장했다면 그런 분위기는 결코 낼 수 없었을 겁니다. 정말이지 한조와 똑같다니까요."

설벽린은 동경을 통해 바뀐 제 얼굴을 바라보면서 문득 흥미를 느낀 듯 중얼거렸다.

"흠, 이 녀석이 살아 있었을 때 한번 만났어야 하는데. 누가 더 아름답게 생겼는지 직접 겨뤄 보고 싶은 작자네."

"물론 아름다운 사내만으로 한정하면 형님의 승리죠.

어쨌든 그 자식은 사내가 아니니까요."

화군악이 웃으며 말하다가 문득 생각난 듯 표정을 바꿔 진지하게 말을 이었다.

"아, 혹시 모르니까 한 가지 꼭 기억해 주세요."

"뭘?"

"그 녀석, 나를 깔고 엎드린 채로 아주 기세등등해져서 이렇게 말하더군요. 이제 넌 내 것이다, 라고요. 마치 전리품을 취하는 것처럼 말이에요."

"으으."

장예추가 저도 모르게 진저리를 쳤다.

하지만 설벽린은 진중한 표정으로 고개를 끄덕였다.

"그렇군. 지금껏 함락시킨 상대들에게 모두 그런 식으로 말했을 가능성이 높겠네."

"그러니까요. 혹시라도 모르니 꼭 기억해 두세요."

설벽린은 화군악의 조언을 들으며 자리에서 일어났다.

"또 분장할 사람이 있다고 했더냐? 어서 가자."

설벽린은 화군악에게 배운 대로 한조 특유의 어조를 따라 했다. 화군악은 귀신에 홀린 듯한 표정을 지으며 고개를 끄덕였다.

"네, 형님. 어서 가시죠."

2. 살인멸구(殺人滅口)

-이제 넌 내 것이다.

화군악의 조언은 정확하게 들어맞았다.

그 한마디로 난공불락의 태자비가 무너진 것이다. 또한 그 한마디가 도화선이 되어 소진서를 불타오르게 했으며, 그는 계획대로 이성을 잃고 한조로 분장한 설벽린에게 덤벼들었다.

소진서의 주먹이 설벽린의 얼굴을 후려쳤다. 그의 모든 분노와 증오가 실린 일격답게 뼈와 살이 분쇄될 정도로 가공할 위력이 실린 주먹이었다.

"안 돼!"

태자비가 손을 뻗으며 부르짖었다.

바로 그 순간, 강만리의 뒤쪽에 부복하고 있던 장예추와 화군악이 동시에 몸을 일으키며 소진서를 막았다.

장예추는 전광석화처럼 빠른 소진서의 주먹을 가볍게 낚아챘으며, 화군악은 다른 한팔을 등 뒤로 꺾고 혈을 제압하며 재차 반항하는 걸 원천적으로 봉쇄했다.

그들의 움직임은 그야말로 눈에 보이지도 않을 정도로 빠르고 민첩해서, 태자비가 놀라 손을 뻗으며 부르짖는 순간 이미 소진서는 제압당하여 바닥에 내동댕이쳐진 상태였다.

'이런!'

실수를 저질렀구나.

태자비는 화들짝 놀라며 손을 거둬들이려 했다.

끝까지 한조를 모르는 척 외면하고 있었어야 하는데 그의 위기를 보고는 저도 모르게 반사적으로 반응하고 말았던 것이다.

그녀의 얼굴이 서늘하게 굳어졌다.

'살인멸구(殺人滅口).'

바로 그 단어가 떠올랐다.

그녀의 명성과 자존심과 체면을 지키기 위해서, 아니 무엇보다 이들이 황태자 전하에게 이 모든 사실을 이야기하기 전에 반드시 이곳에 있는 자들을 모두 죽여 없애야 했다.

모두 죽여 그들의 입을 봉하기만 한다면 아직도 늦지 않았다.

비록 한조도 저곳에 함께 있었지만 어쩔 도리가 없었다. 해독약은 가지고 있으니 다른 이들이 쓰러진 후 복용시킨다면 목숨은 구할 수 있지 않을까 싶었다.

빠른 순간에 결단을 내린 태자비는 귀비탑의 팔걸이를 손가락으로 톡! 톡! 톡! 세 번 소리를 내었다. 일순 그녀의 뒤에 서 있던 소설과 추분의 안색이 급변했다.

'설마…….'

'한 단주마저도?'

순간적으로 그녀들은 망설였다. 그녀들의 뇌리로 온갖 생각들이 순식간에 떠올랐다가 마구 헝클어질 때, 추분이 입술을 깨물더니 두 개의 가림막으로 분리된 공간 저편으로 전력을 다해 부채질했다.

그녀의 내공을 실은 부채질이었다. 태풍처럼 세찬 바람에 두 개의 가림막이 미친 듯이 펄럭였다.

바람은 분리된 공간 저편 끝까지 뻗어 나갔으며, 대청 사방에 장식되어 있던 꽃들이 그 바람에 휘말리며 꽃씨를 터뜨렸다. 새하얀 꽃가루가 연기처럼 피어올랐다.

그때였다.

강만리가 화들짝 놀라며 소리쳤다.

"독입니다, 전하!"

동시에 그는 자신의 솥뚜껑 같은 손으로 담우천의 입과 코를 막았다. 또한 화군악은 황급히 제 옷을 벗어 담우천의 머리를 덮어 주었으며, 장예추는 서둘러 장풍을 발출하여 굳게 닫혀 있던 방문을 박살 냈다.

복도 저편에서 오가던 궁녀들이 "꺄악!" 하고 놀라 비명을 지르며 도망치는 가운데, 화군악이 황급히 옷가지에 싸인 담우천과 한조를 옆구리에 끼고 복도로 뛰어나갔다.

'전하?'

태자비의 표정이 딱딱하게 굳어졌다.

손가락 신호로 황천몽연을 터뜨리라고 명령한 그녀는 황급히 소매에 숨겨 둔 해독약을 먹다가, 강만리의 '전하!'라는 외침에 화들짝 놀라고 말았다.

'전하라니, 설마 황태자 전하?'

마침 강만리가 우뚝 선 채 서늘한 표정으로 태자비를 노려보며 한쪽 팔로 입을 가린 채 입을 열었다.

"혹시 모르는 일입니다. 전하께서 위중할 수도 있으니 어서 해독약을 내놓으시죠."

겉으로는 태연하고 진중해 보였지만 지금 강만리는 한없이 초조하고 불안한 상태였다.

상대가 사천당문의 십대절독 중에서 과연 어떤 독을 사용했는지 전혀 알 수 없는 상황이었다. 자칫 영문도 모른 채 목숨을 잃을지도 몰랐다.

지금 강만리는 자신과 형제들의 목숨까지 생각하지는 않았다. 그만큼 다급한 상황, 오로지 주완룡의 안위만이 걱정되었다. 정 안 된다면 힘으로 태자비를 억누르고 해독약을 빼앗을 작정이었다.

'바보다, 나는.'

모든 걸 준비하고 만약의 사태에 철저하게 대비했다고 생각했다.

하지만 그게 다가 아니었다. 상대가 독을 사용할 거라는 생각은 왜 미처 하지 못했을까. 그들이 사천당문의 독과 암기를 빼돌렸다는 걸 알고 있었는데도 말이다.

강만리가 그렇게 스스로를 자책하고 있을 때였다.

"저, 전하라니……."

태자비는 저도 모르게 말을 더듬었다.

"이, 이 자리에 전하께서 와 계셨단 말이더냐?"

"그렇습니다."

강만리는 서늘하고 냉랭한 목소리로 말했다.

"그분은 처음부터 이곳에 와 계셨습니다. 처음부터 지금까지 모든 걸 보고 듣고 계셨습니다. 그러니 마마께서 아직도 그분을 사랑하신다면 얼른 해독약을……."

"됐다. 이제 그만하라, 아우."

묵직한 음성이 복도 저편에서 들려왔다. 강만리는 박살 난 문 쪽으로 시선을 돌렸다. 태자비도, 소설과 추분도 모두 소리가 들려온 방향으로 고개를 돌렸다.

담우천이 장예추와 한조를 대동하고 천천히 걸어 들어왔다.

태자비의 눈빛이 파르르 떨리는 가운데, 담우천은 장예추가 건네준 수건으로 얼굴을 벅벅 문질렀다. 얼굴에 발랐던 안료와 지분들이 깨끗하게 지워지고, 마침내 원래의 얼굴이 드러났다.

일순 태자비는 저도 모르게 귀비탑에서 내려와 무릎을 꿇었다.

"전하."

그랬다.

담우천인 줄로만 알았던 이 사내는 바로 당금 황태자 주완룡이었던 것이다.

3. 절명(絕命)

"전하, 이 대청은 위험합니다."

강만리가 다급한 어조로 말하자 주완룡은 고개를 저으며 부드럽게 웃었다.

"괜찮다. 예추가 해독약을 미리 준비해 두었더구나."

강만리는 놀란 눈으로 장예추를 바라보았다. 장예추는 차분한 어조로 말했다.

"혜혜가 만해 사부, 구 당주와 함께 요 며칠 고생해서 만들어 두었더라고요. 죄송합니다. 미리 돌렸어야 하는 건데."

장예추는 그렇게 말하면서 품에서 환단이 든 옥병(玉瓶)을 꺼내 대청 안에 있던 이들에게 한 알씩 모두 나눠 주었다.

강만리와 화군악은 물론 지 환관과 제압당한 채 바닥에 엎어져 있던 소진서도 알약을 복용했다.

"최소한 사천당문의 독에 관해서는 이만한 해독약이 없다고 했으니 안심하셔도 될 겁니다."

장예추의 말에 강만리는 고개를 끄덕였다.

당혜혜는 사천당문의 여인이었다. 그녀가 그리 말했다면 당연히 그럴 것이다.

강만리는 그럼에도 불구하고 걱정이 가시지 않는 눈빛으로 주완룡을 바라보며 말했다.

"그래도 조심하셔야 합니다, 전하."

"허허, 아직도 전하라고 부르는구나."

"죄송합니다, 전하."

"뭐, 사람들이 있으니 그럴 수도 있겠지. 그건 그렇고……."

주완룡은 문득 자신의 뒤에 시립해 있는 한조, 아니 한조로 분장한 설벽린을 바라보며 살짝 감탄하는 표정을 지었다.

"그 얼굴은 언젠가 한 번 본 적이 있다. 건과 함께 산책하던 여인의 얼굴이었지. 워낙 색기가 강렬해서 조금은 걱정스러운 마음으로 건과 그녀를 지켜본 적이 있었는데…… 허허허, 내 아내가 그 색기에 넘어갈 줄이야."

태자비는 바닥에 엎드린 채 고개를 들지 않았다. 그 뒤에 멍하니 서 있던 소설과 추분은 어찌해야 할지 모르는 표정으로 당황해하다가, 주완룡과 눈이 마주치는 순간 저도 모르게 그 위엄에 눌려 황급히 오체복지를 했다.

주완룡은 길게 한숨을 쉬며 대청 주위를 둘러보았다.

지 환관도 구석진 자리에 엎드린 채 벌벌 떨고 있었고, 소진서 역시 혈을 제압당한 채 새파랗게 질린 얼굴을 하고 있었다.

따지고 보면 그들 모두 황태자의 아내와 불륜을 저지른 자들이었다. 당연히 그들의 목숨은 물론, 삼족이 멸할 벌을 받게 될 것이다.

"우리 부부 사이가 여전히 화목하고 행복하다고 여겼다."

주완룡은 가만히 태자비를 바라보며 입을 열었다.

"나는 그대를 사랑하고, 그대 또한 나를 사랑한다 생각했다. 비록 대화를 나누고 함께 지내는 시간은 짧았지만 그 마음만큼은 변치 않는다고, 영원할 거라고 믿었다."

누구 하나 입을 여는 자가 없었다.

장예추는 천천히 뒷걸음질 쳐서 문밖으로 나가 복도 주위를 살폈다. 행여 이 사달은 훔쳐보거나 엿듣는 자가 있는지 감시하려 함이었다.

아니나 다를까. 궁녀들과 환관이 복도 끝자락에 모여서 불안한 가운데 호기심 어린 얼굴로 이곳을 바라보고 있었다.

장예추는 눈살을 찌푸리며 그들을 향해 겁을 주듯 손을 내밀었다. 궁녀와 환관들은 놀라 황급히 도망쳤다. 장예추는 복도 좌우를 살피는 등 경계를 늦추지 않은 채 대청 안쪽에서 들려오는 주완룡의 말에 귀를 기울였다.

"하지만 만리의 이야기를 듣고서야 비로소 느끼고 깨달은 게 참으로 많았다. 특히 마음만으로는, 마음으로 갖고만 있는 건 상대에게 전해지지 않는다는 걸 알게 된 건 큰 수확이라 할 수 있겠구나."

주완룡의 말에 강만리가 고개를 숙였다.

"주제넘은 말이었습니다. 죄송합니다, 전하."

"아니다. 자네에게는 진심으로 고마워하고 있다."

주완룡은 문득 빙긋 웃으며 말을 덧붙였다.

"이렇게 솔직하게 고마움을 전하는 것도 이번에 배운 셈이지."

"황공하옵니다, 전하."

"그건 그렇고."

주완룡은 다시 태자비에게로 시선을 돌리며 입을 열었다.

"그래, 죽이고 싶을 정도로 내가 미웠던 것이오?"

태자비는 귀비탑 아래 엎드린 채 아무 말도 하지 않았다. 아니, 아무 말도 하지 못했다.

"그렇다면 내게 와서 말하지 그랬소? 가끔씩 내가 찾아갔을 때 투정을 부리고 떼를 쓰지 그러셨소? 내가 부족한 점을 말하고 고칠 부분을 지적하고 원하는 걸 조르지 그러셨소? 그랬다면 나도……."

"과연 그랬을까요?"

태자비가 엎드린 채 입을 열었다. 동시에 주완룡은 입을 다물었다.

"내가 투정을 부리고 떼를 쓰고 졸라 댔으면 과연 전하께서 달라졌을까요? 전하께서는 그리 생각하시나요?"

주완룡은 진지한 얼굴로 고민하다가 "아!" 탄식하여 입을 열었다.

"아마 변하지 않았을 것이오. 오늘 이전의 나는 의외로 멍청하고 단순하며 아무것도 모르는 바보였으니까."

"그래요. 전하는 바보였습니다. 전하의 아내가 불륜을 저지르고, 환관과 첩형을 잠자리에 들이는데도 전혀 알아차리지 못하는 바보였습니다."

강만리는 묵묵히 그녀의 이야기를 듣다가 문득 엉뚱한 생각이 떠올랐다.

'혹시 세상 모든 아내들이 다 불륜을 범하고 부정을 저지르는 건 아닐까?'

당시 세상 남자들은 일처사첩(一妻四妾)의 관습을 전혀 꺼리지 않고 당연하게 받아들였다.

어디 일처사첩뿐인가. 틈만 나면 새로운 여자를 만나고

새로운 구멍을 찾아 헤매다니는 게 이 시대의 사내들이었다.

가장 좋은 여자는 처음 만나는 여자라고 하는 말이 있을 정도로, 사내들은 새롭고 또 새로운 여자들을 만나서 사랑을 나누고자 했다.

하지만 그렇게 사내들이 밖으로 나돌아 다니는 동안, 여인들은 과연 가만히 집이나 지키고 아이들이나 키우고 있을까. 그게 당연한 일일까.

엄연히 남존여비(男尊女卑)가 시대를 지배하는 사상이라지만 그래도 남자와 여자는 다르지 않았다. 남자라고 성욕이 넘쳐흐르고 여자라고 성욕이 없는 것은 아니었다.

어쩌면 한조는 그런 불균형하고 불공평한 세상이 만들어 낸, 일그러진 영웅 같은 게 아니었을까.

사내를 만족시키고 여인을 절정으로 보내는 두 개의 물건과 능력을 지닌 자. 그야말로 공평하고 완벽하게 균형을 갖춘 '인간(人間)'이 바로 한조라는 인요가 아닐까.

강만리의 엉뚱한 상념은 태자비의 조금 격앙된 목소리로 인해 깨졌다. 강만리는 얼른 정신을 차리고 귀를 기울였다.

"그래요. 나는 전하를 미워합니다. 죽이고 싶을 정도로 전하를 미워합니다. 그런 나를 이해해 달라고, 용서해 달라고 하지 않겠습니다. 그저 아들 순(順), 순만큼은 이런 나를 반면교사로 삼으셔서, 부디 올바르고 정의롭고 깨끗하게 자라게 하시옵소서."

태자비의 말이 수상쩍다고 느낀 건 강만리뿐만이 아닌 모양이었다. 주완룡은 안색을 급변하며 소리쳤다.

"못된 마음 먹지 마시오!"

하지만 이미 때는 늦었다.

강만리가 움직이기도 전에, 화군악이 지면을 박차 날아오르기도 전에 태자비는 엎드린 그 자세 그대로 꿈틀거리다가 축 늘어졌다.

"안 돼!"

주완룡이 소리쳤다.

강만리와 화군악이 동시에 태자비에게로 날아갔다. 두 개의 가림막이 갈기갈기 찢어졌다. 오체복지하고 있던 소설과 추분이 황급히 몸을 일으켜 도주했다.

화군악의 지풍이 정확하게 그녀들의 마혈을 짚었다. 허공으로 몸을 날리던 두 여인이 날개 잃은 새처럼 추락하여 바닥에 떨어졌다.

강만리는 조심스러운 손길로 태자비의 몸을 돌리며 소리쳤다.

"예추! 예추!"

복도에 서 있던 장예추가 뛰어들었다. 강만리가 그를

손짓하며 불렀다.

"해독약이 필요하다!"

장예추는 한걸음에 대청을 뛰어넘어 태자비의 앞에 이르렀다. 그는 품에서 옥병을 꺼내는 것과 동시에 태자비의 코끝에 손가락을 댔다.

이내 장예추는 다시 옥병을 품에 넣으며 고개를 저었다.

"절명하셨습니다."

"이런."

강만리가 탄식할 때, 주완룡이 뒤늦게 달려와 두 사내를 제치고 태자비를 안았다.

"정신 차리시오!"

그는 굵은 눈물을 흘리며 소리쳤다.

"안 되오! 내가 언제 죽으라고 했소! 죽지 마시오! 당장 살아나시오!"

주완룡은 힘껏 태자비를 부둥켜 안은 채 소리치고 또 소리쳤다.

강만리와 장예추는 그의 곁에 서서 묵묵히 지켜보았다. 강만리가 나지막한 소리로 말했다.

"이미 돌아가셨습니다."

하지만 주완룡은 전혀 그 소리가 들리지 않는 듯 계속해서 태자비를 깨우려고 애를 썼다.

강만리가 다시 한마디 하려다가 입을 다물고는 주위를

둘러보았다. 복도 저편에서 사람들이 웅성거리는 소리가 들려왔다.

"가서 주변을 정리해 줘."

강만리는 화군악과 장예추에게 말했고, 두 사람은 곧바로 대청을 벗어나 복도로 달려갔다.

복도는 환관과 궁녀들의 신고를 받고 달려온 동창의 무사들과 금의위, 권화들이 한데 뒤엉켜 있었다. 장예추와 화군악은 태자밀위의 증패를 내밀며 그들을 물러나게 했다.

그런 가운데 대청 안쪽에서는 굵은 목소리의 누군가가 눈물을 흘리며 흐느끼는 소리가 계속해서 들려왔다.

사람들은 그게 누구인지 궁금하다는 표정을 감추지 못한 채 고개를 기웃거렸지만, 장예추와 화군악은 전혀 틈을 보이지 않았다.

"다들 복도 밖으로 물러나시오. 조금이라도 다가온다면 태자의 명에 따라 모두 단번에 죽일 것이오."

화군악과 장예추의 협박은 통했다. 사람들은 호기심과 궁금함을 지우지 못한 채 물러났다.

마지막까지 권화들이 남아서 이곳 호위는 자신들의 몫이라며 주장했지만, 역시 화군악과 장예추가 손을 휘둘러 복도 바닥에 커다란 구멍을 내는 무력시위 앞에서는 견딜 수 없었는지 결국 물러나고 말았다.

"이제 어떻게 될까?"

모든 사람들이 복도에서 사라진 후 화군악은 장예추를 돌아보며 물었다.

장예추는 여전히 경계를 늦추지 않은 채 차분한 어조로 대꾸했다.

"그야 나도 모르지."

6장.

정리(整理)

기실 고래로 모든 왕조의 교체,
즉 역성혁명(易姓革命)은 바로 그 민초들의 반란으로부터 시작되었다고 해도
과언이 아니었다.

1. 망부회한(望夫悔恨)

떠나간 지아비를 그리면서 참회하고 한탄하며 흘린 눈물이 굳어 만들어졌다는 환단, 망부회한(望夫悔恨).

슬픔과 안타까움과 비통함과 자책의 심정이 고스란히 담겨 만들어진 그것은, 내가 깨물면 내가 죽고 입에 담고 입맞춤을 하면 함께 죽는다고 해서 원앙독(鴛鴦毒)이라는 별명이 있었다.

또한 환단일 때는 괜찮지만, 그 단단한 껍질 안에 담겨 있는 한없이 부드럽고 달콤한 독즙(毒汁)을 먹으면 바로 목숨을 잃는다고 해서 절명사(絕命死)라는 별칭도 있었다.

태자비가 복용한, 사천당문의 십대절독 중 하나가 바로 그 망부회한이었다.

* * *

"망부회한이라……."

태자궁으로 돌아와 태사의에 털썩 앉은 주완룡은 턱을 괸 채 힘없이 중얼거렸다.

"망부회한이라…… 날 그리면서 참회하고 한탄했다는 겐가? 그런 의미인 겐가?"

그의 앞에는 강만리와 장예추, 화군악, 그리고 분장을 지운 설벽린이 허리를 숙인 채 서 있었다.

"어떻게 손을 써 볼 수도 없을 정도로 즉사하게 만드는 극독인데도 그런 이름을 가지고 있다니, 참으로 풍류(風流)가 넘쳐흐르는구나."

주완룡은 칭찬하듯 감탄하듯, 혹은 비웃듯 조롱하듯 그렇게 말했다.

아닌 게 아니라 사천당문의 십대 절독은 저마다 특별하고 사연 깊은 명칭을 지니고 있었다. 그 명칭만 보자면 극악의 독성과는 정반대로, 시의 한 구절이 아닐까 싶을 정도로 고아하고 아름다웠다.

"죄송합니다, 전하. 미처 제대로 대응하지 못한 죄가

실로 크고 무겁습니다. 모든 게 제 잘못입니다.”

강만리는 진심으로 자책하며 사과했다.

사실이었다.

독을, 왜 독에 대해서는 그리 신경을 쓰지 못했을까.

황천몽연도 그렇고 망부회한도 그렇고, 조금만 더 깊이 생각하고 신경 썼더라면 능히 떠올리고 대책을 세울 수 있었을 것이다.

“아니다. 그게 어찌 네 잘못이겠느냐?”

주완룡은 부드럽게 미소를 지으며 말했다.

“모두가 내가 부덕(不德)한 소치이다. 그러니 앞으로는 그 누구도 내 앞에서 자신의 잘못이라고 말하지 않도록 하라.”

강만리는 망설이다가 입을 다물었다. 예서 더 이야기해 봤자 서로 좋을 게 없다는 생각이 든 까닭이었다.

어쨌거나 상황은 종료된 후였다.

태자비가 사망한 사건이었다. 그 파장을 생각해서라면 어떻게든 단순하고 효과적으로 위장해야 했다.

대내적으로는 모든 이들에게 함구령을 내린 다음, 지 환관과 소 첩형관의 무공을 전폐한 후 하옥시키고 소설과 추분 역시 혈을 제압한 채 강만리의 별채로 이송하는 것으로 끝낼 수도 있었다.

그러나 대외적으로 발표를 하기 위해서는, 어떻게 태자

비가 죽었으며 지 환관과 소 첩형관은 무슨 죄목으로 하옥이 되는가 등등을 설명하기 위해서는 나름대로 그럴듯한 조작이 필요했다.

거기에 대고 태자비가 뭇 사내들과 불륜을 저질렀다는 식으로 공표하는 건 주완룡의 입장을 떠나 황실의 체면을 생각해서라도 절대 있을 수 없는 일이었다.

그래서 위장과 조작이 필요했고, 강만리는 화군악, 장예추, 설벽린과 함께 머리를 맞대고 그 뒤처리에 대해 논의했다.

"지 환관과 소 첩형이 싸우다가 서로 죽인 걸로 할까? 궁녀들은 말리다가 휘말려서 목숨을 잃고, 그걸 본 태자비는 심장마비에 걸려 죽었고."

"너무 억지인 것 같지 않습니까? 우선 지 환관과 소 첩형이 서로 싸우다가 양패구상한다는 것 자체부터 말이 안 될 것 같은데요? 어쨌든 소 첩형은 동창의 이인자가 아닙니까?"

"그럼 소 첩형은 자결한 것으로 하지. 지 환관과 궁녀들을 죽인 후에 말이지."

"그가 왜 지 환관과 궁녀들을 죽여야 합니까?"

"사랑싸움?"

"아니면 지 환관과 사랑을 나눈 걸 궁녀들이 본 거야. 궁녀들이 놀라 도망치는 모습에 소 첩형이 순간적으로 눈이 돌아 이성을 잃어 태자비의 거처까지 그녀들을 쫓아와 죽인 거고. 그 참혹한 광경을 본 태자비는 심장마비로 죽고, 뒤늦게 정신을 차린 소 첩형은 지 환관을 죽이고 스스로 목숨을 끊는 거지."

"흠, 그럴듯한데?"

"좋아. 사실은 그런 거라고 생각해 두자. 하지만 발표는 그렇게 나면 안 되겠지. 어쨌든 소씨 가문의 체면이 걸려 있는 데다가 무엇보다 태자비의 궁에서 사내들끼리의 치정으로 살인 사건이 발생했다는 것 역시 수치스러운 일일 테니까."

"그럼 어떻게 공표를 할 건데요?"

"글쎄. 그건 황궁 측에서 알아서 할 일이지. 뭐, 침입자를 쫓다가 목숨을 잃었다거나, 혹은 암살자로부터 태자비를 지키다가 목숨을 잃었다는 식으로 공표를 하겠지. 그러거나 말거나."

강만리는 곧 사건 현장을 조작하기 시작했다.

"미안하지만 죽어야겠다."

그는 서슴없이 지 환관을 죽이고 소 첩형의 천령개를 부셔서 자결한 것처럼 보이게 만들었다.

그리고 역시 두 명의 궁녀 또한 도망치다가 뒤에서 공격을 받아 목숨을 잃은 것처럼 꾸민 후, 뇌수와 피를 사방에 뿌려 참혹한 현장으로 만들었다.

최대한 참혹하고 비참하며 잔악한 현장이어야 했다. 마음 약한 태자비가 그 광경을 목도하고 심장마비에 걸려야 했으므로.

그 모든 과정을 화군악과 장예추가 함께했으며, 강만리는 지난 성도부 포두 시절 때의 경험을 떠올리며 사건 현장을 꼼꼼하게 지휘했다.

시간은 부족하고 촉박했지만 나름대로 그럴듯하게 위조된 사건 현장을 보며 강만리는 한숨을 쉬었다.

"그래도 명색이 포두라는 작자가 이런 짓이나 하고 있다니……."

사건 현장을 마무리한 후 그들은 곧 동창과 금의위, 태의원의 고위직 인사들을 불렀다.

강만리는 그들에게 자신들이 직접 보고 듣고 추측한 사건 경위에 대해서 설명했다. 동창과 금의위의 고위 인사들은 대경실색한 채 그의 설명에 귀를 기울였다.

이윽고 사람들은 크게 난감한 표정을 지으며 소곤소곤 대화를 나눴다.

"이것 참. 믿을 수 없는 게 사람이라더니…… 소 첩형이 이런 짓을 할 줄이야."

"아, 소문은 들었습니다. 소 첩형과 지 환관이 그렇고 그런 사이라고요. 몇 번 지 환관이 소 첩형의 집무실을 오간 걸 본 사람들이 있었습니다."

"문제는 태자비 마마께서 심장마비로 돌아가셨다는 겁니다. 도대체 이 일을 어찌 처리해야 한답니까?"

고위 인사들은 제대로 수습할 엄두가 나지 않는다는 듯, 문제를 해결할 생각은 하지 않은 채 그저 넋두리만 늘어놓았다.

보다 못한 강만리가 은근슬쩍 해결 방안을 제시했다.

"차라리 궁녀들이 암살자이고, 그녀들이 마마를 해치려는 걸 막다가 동귀어진한 걸로 하면 어떻겠습니까? 그런 결론이라면 소씨 가문에서도 제법 좋아할 것 같은데요. 아마 사례금 같은 것도……."

강만리는 말꼬리를 흐렸다. 하지만 이미 사람들의 눈에는 탐욕의 빛이 일렁였다.

"괜찮지 않소? 궁내의 치부를 드러내는 것보다 그런 식으로 포장해서 공표를 하는 건. 물론 그렇다고 해서 폐하나 전하께까지 거짓말을 하면 안 되겠지만 말이오."

"흠, 누이 좋고 매부 좋은 결론이라……. 뭐, 나쁘지 않을 것 같습니다."

강만리는 그들이 찢어지는 입을 억지로 관리하며 그렇게 이야기를 나누는 모습을 보면서 속으로 한숨을 쉬었다.

'결국 일개 관아나 황궁이나 다들 돈에 환장하는 건 마찬가지로구나.'

강만리가 그런 생각을 하고 있을 때, 화군악과 장예추는 태의원의 의관들을 만나고 있었다.

가장 중요한 태자비의 죽음은 갑작스러운 심장마비라는 사인으로 정리해 둔 터, 그들은 태의원의 의관들이 그쪽으로 보고를 하게끔 설득했다.

의관들 또한 정체불명의 독을 찾아내는 것보다 그쪽이 훨씬 쉽고 간단한 일이었다. 또한 태자비가 독살을 당했다는 것보다 심장마비로 죽었다는 것이 훨씬 파문이 적을 테니까.

그리고 무엇보다 강만리를 비롯한 이자들이 황태자의 심복이라는 사실이었다.

어쩌면 이 모든 일에 태자의 뜻이 숨겨져 있지는 않을까 생각한 의관들은 장예추와 화군악의 설득에 이기지 못한 듯 고개를 끄덕이며 말했다.

"알겠습니다. 사인은 심장마비로 보고서를 작성하겠습니다."

상황은 종료되었다. 이제 남은 건 조사관들끼리의 의견을 규합하여 보고서를 작성하는 일이었다.

그 보고서를 읽은 상부에서 어떻게 공표할지는, 이미 강만리의 손을 떠난 일이기도 했다.

그렇게 현장에 대한 정리를 끝내자, 이제 남은 건 그 모든 사건의 배후라 할 수 있는 건곤가에 대한 처분이었다.

하지만 기묘하게도 사실 건곤가가 무슨 잘못을 저질렀느냐고 하면 딱 부러지게 지적할 부분도 없었다.

한조로 하여금 삼황자 주건의 수발을 들게 한 것? 우연히 태자비를 만나서 그녀와 잠자리를 함께하고 사랑을 나눈 것?

아니면 암영단 소속의 여인들을 궁녀로 위장하여 들인 일? 혹은 사천당문에서 훔친 극독을 태자비에게 넘긴 일?

그 모든 건 건곤가가 얼마든지 변명할 수 있는 일이었다.

한조의 일은 황궁에 연줄을 대고 싶어 하는 명문가라면 누구나 하는 일반적인 일이었다. 반반한 사내나 혹은 아름다운 여인으로 하여금 황족들의 수발을 들게 하는 건 거의 관습과도 같았다.

그렇다고 태자비와 사랑을 나눈 것까지 건곤가의 책임으로 돌릴 수는 없었다.

가장 죄명이 확실한 건 역시 극독의 반입일 터다.

천자(天子)와 그 일족이 사는 공간 안에 극독을 반입한 죄는 확실히 멸족(滅族)의 벌을 내릴 수 있는 중죄라 할 수 있었다.

2. 체면과 자존심

“어떤가? 그 건곤가라는 가문은?”

주완룡이 건곤가로 화제를 돌리자 강만리는 잠시 고민하다가 입을 열었다.

“현 무림을 지배하는 다섯 가문 중에서 가장 강한 가문이 아닐까 싶습니다.”

“지배라……. 고약한 말이로다.”

주완룡은 당금 황제가 지배하는 대륙의 땅에서 또 다른 이들이 지배 운운하는 게 마음에 들지 않는다는 표정을 지으며 입을 열었다.

“그들을 불러 죄를 묻고 싶은데.”

“그게…… 조금 어렵지 않을까 생각합니다.”

강만리는 솔직하게 말했다.

“우선 그들이 잡아떼면 우리가 할 수 있는 게 별로 없습니다. 무엇보다 사천당문에서 극독을 훔친 게 건곤가라는 증거가 전혀 없는 데다가, 아예 사천당문에서도 자신들이 극독을 도난당했다는 사실을 전혀 인정하지 않고 있으니까요.”

“음? 그건 또 왜지?”

“그야 자신들의 체면과 자존심 때문이죠. 경비가 삼엄하고 철통같기가 황궁 버금…… 죄송합니다. 꼭 그렇다는 게 아니라 그저 예를 그리 드는 것뿐입니다."

"괜찮다. 계속하여라."

"네. 어쨌든 그런 자신들의 경비를 뚫고 자신들의 보물을 누군가 훔쳐 갔다는 건, 목숨만큼 중요하게 여기는 체면을 훼손하는 일이니까요."

강만리의 말에 장예추가 보충 설명을 하듯 말을 이었다.

"과거 신주오대세가 중 한 곳인 남궁세가에서도 제왕검해가 도난당하는 일이 발생했지만, 그들 역시 전혀 그런 내색을 하지 않았으며 또한 모든 사실을 정식으로 부인했습니다."

"흠, 체면과 자존심인 건가? 하기야 그 알량한 것들 때문에 나 역시 하고픈 말과 행동에 제약을 받고 있으니."

주완룡은 나지막하게 한숨을 쉬고는 다시 질문을 던졌다.

"하지만 우리에게는 그 궁녀들이 있지 않더냐? 비록 시신이나마 그녀들이 건곤가의 사람임을 추궁하면 되지 않겠느냐? 어쨌든 그녀들이 독을 반입했으니 말이다."

"그건 개인적인 일로 치부할 겁니다. 이미 그녀들은 건곤가에서 쫓겨난 몸이니 건곤가의 책임은 전혀 없다고 주장할 게 분명합니다."

"겨우 그런 주장으로 책임을 회피할 수 있다?"

"강호무림에는 파문이라는 게 있습니다. 사제의 연을

끊고 사문에서 쫓아내는 일을 두고 파문이라 하는데, 그렇게 파문된 자는 그 사문과 어떤 관계도 없게 됩니다. 파문된 자가 저질렀던 범행이나 악행 모두 고스란히 파문된 자의 몫이 되는 거죠."

"허어, 그런 편리한 방법이 있는가?"

주완룡은 이해할 수 없다는 표정을 지었다.

개인의 잘못으로 인해 자신은 물론 가족과 친지, 심지어 삼족, 구족의 목숨까지 위태로워지는 곳이 황궁이었다. 그런 황궁에서 평생을 살아온 이의 시야에서 보자면, 강호무림의 일들은 확실히 쉽게 이해할 수 없는 게 당연한 일이었다.

"하지만 그건 어디까지나 강호의 일, 황궁에서 벌어진 일은 황궁의 법도에 따라야 할 것이다."

주완룡의 말에 강만리는 희미한 한숨을 내쉬며 말했다.

"거기에서부터 문제가 발생할 겁니다. 어쩌면 건곤가는 무림에 대한 황실의 탄압을 주장하고 나설지도 모릅니다. 앞서 말씀드렸듯이 건곤가는 현 무림을 지배하는 다섯 가문 중 하나이고, 그들을 추종하는 무리가 적지 않습니다."

일순 주완룡의 눈빛이 서늘해졌다.

"설마 그들이 감히 황궁에 반기(反旗)를 들기라도 한단 말인가?"

그 추상 같은 목소리에 강만리는 황급히 고개를 조아리며 말했다.

"소신이 무례를 범했습니다. 죽여……."

"허어. 우리 사이에 그건 또 무슨 망발이냐?"

주완룡의 목소리가 사뭇 부드러워진 걸 느낀 강만리는 좀 더 조심스러운 어조로 말했다.

"반기나 역모를 말씀드리고자 한 게 아니었습니다. 단지 그들을 물리적으로 제압해야 할 가능성이 생긴다는 점과 그럴 경우, 절대 만만치 않은 시간과 돈과 노력이 필요하다는 부분을 말씀드리고자 했을 뿐입니다."

강호무림과 황실이 싸운다면 과연 누가 이길까.

무공으로는 강호무림이 앞서고 수적으로는 황실이 앞서지만, 역시 무공이 높은 강호무림이 조금 더 승리할 확률이 높을 것이다.

하지만 그건 어디까지나 탁상공론의 이야기에 불과했다.

강호무림 전체가 황실과 대립한다는 건, 곧 나라의 모든 백성이 들고 일어나 황실과 싸운다는 의미와 다름이 없었다. 그렇게 모든 백성이 궐기하는 데야 어느 황실이 과연 버티고 감당할 수 있을까.

기실 고래로 모든 왕조의 교체, 즉 역성혁명(易姓革命)은 바로 그 민초들의 반란으로부터 시작되었다고 해도 과언이 아니었다.

즉, 모든 백성이 반기를 드는 순간 황실은 힘을 잃을 수밖에 없으니, 강호무림 전체가 힘을 합쳐 황실과 싸운다는 전제 자체가 성립되지 않는다고 할 수 있었다.

한편 황실 또한 그런 강호무림의 힘과 무위를 견제하기 위해 수많은 장치를 두고 있었다.

소림사나 무당파 등 명문 거대 정파에게는 논밭과 토지를 주고 세금을 감면하는 등의 혜택을 주었으며, 또한 그들의 수많은 속가제자를 관군과 황궁 무사로 영입하여 관계가 이어지도록 했다.

또 무공의 고수를 따로 영입하여 자체적으로 힘을 키웠으니, 저 황궁 연쇄살인 사건 당시의 무집사(武集社)가 바로 그런 조직이었다.

그리고 동창과 금의위 등의 하부 조직을 통하여 각 무림 문파들의 동향과 정세를 살피는 것 역시 바로 그들의 무력을 경계함이었다.

강만리에게 무림포두라는 직함을 내린 것 역시 그 일환이라 할 수 있었다.

강만리의 조심스러운 충언에 주완룡은 냉정을 되찾은 표정으로 잠시 생각하다가 천천히 입을 열었다.

"그렇다고 해서 설마 그 건곤가를 그냥 이대로 둬야 한단 말은 아니겠지, 아우?"

"물론입니다."

강만리는 공손하게 대답했다.

"굳이 개를 잡는 데 소 잡는 칼을 쓸 필요가 어디 있겠습니까? 강호의 일은 강호인에게, 무림의 일은 무림인들에게 맡겨 두심이 가장 나은 방법이라고 생각합니다."

주완룡은 지그시 강만리를 바라보며 물었다.

"물론 그 강호인이니 무림인이니 하는 건 자네들을 의미하는 것이겠고?"

"아직 실력도 세력도 부족하기만 합니다만 황태자께 바치는 충성심만큼은 그 누구에게도 뒤지지 않는다고 자부하고 있습니다. 게다가 사실 그들과는 개인적인 빚도 있고 말입니다."

"충성심이라……."

주완룡은 문득 씁쓸한 표정을 지었다. 강만리는 이때다 싶어서 얼른 말을 이었다.

"그러니 우리가 강해지고자 하는 건 우리의 욕심 때문만이 아니라는 걸 알아주셨으면 합니다. 모든 게 충정에서 나온……."

"알았다. 그러니 며칠 전의 약속을 지켜라, 이것이더냐?"

주완룡은 다시 유쾌한 표정을 지으며 물었다. 강만리는 크게 머리를 조아리며 말했다.

"황공하옵니다."

"황공할 게 어디 있느냐? 약속은 약속이고, 자네가 그만한 결과를 냈으니 나도 그 약속을 지켜야겠지."

주완룡은 웃으며 말했다.

"그래. 이제 모든 일이 정리되었으니 내 아바마마를 뵙고 사실대로 말씀드리마. 그 자리에서 자네들이 그토록 원하는 황궁무고를 열어 달라고 부탁도 드릴 것이니 염려하지 말도록 하라."

"실은……."

강만리가 머뭇거렸다. 주완룡의 눈이 휘둥그레졌다.

"무슨 일이더냐?"

"실은 아직 모든 일이 정리된 건 아닙니다."

"음? 그건 또 무슨 소리지? 아직 해결해야 할 일이 남아 있단 말이냐?"

"그렇습니다. 누군가 소인…… 아니, 이 아우를 죽이려 하고 있습니다. 이곳 황궁 내에서 말이죠."

강만리는 일부러 '아우'라는 말을 강조했다.

주완룡은 처음 듣는 이야기이니만큼 상당히 놀란 표정을 지었다. 한편으로 흥미가 생긴 듯 그는 몸을 앞으로 내밀며 물었다.

"누가 말이냐?"

"그게……."

강만리는 망설이다가 조심스럽게 대답했다.

"지금은 말씀드릴 수가 없습니다. 단지 아무도 모르게,

최대한 조심하고 또 조심해서 일을 해결하고자 생각하는 중입니다."

주완룡은 고개를 갸웃거렸다.

'이상하구나. 날 죽이려 했던 이가 태자비라는 것도 전혀 망설이지 않고 말하던 자다. 내 앞에서 태자비의 허물을 스스럼없이 벗기던 인물이다. 그런 자가 저렇게 조심스러워하고 또 망설이다니…….'

그건 다시 말해서 그만큼 강만리가 조심스러워해야 하고 망설여야 하는 대상이라는 의미였다. 즉, 태자비를 다룰 때와는 비교도 되지 않을 정도로 훨씬 더 중하고 귀한 인물일 가능성이…….

"이런!"

한 사람의 얼굴이 떠오르는 순간, 주완룡은 저도 모르게 탄식했다. 믿을 수 없다는 기색이 그의 얼굴을 가득 메웠다. 그는 고개를 설레설레 흔들며 입을 열었다.

"왜 그분이 자네를 죽이려 하는 겐가?"

강만리는 내심 감탄했다.

확실히 주완룡은 대단한 사람이었다. 아내를 잃은 슬픔, 아내에게 배신당한 아픔 속에서도 그는 언제나처럼 영민했고 다정했으며 배포가 컸다.

바로 이 자야말로 작금의 황제를 이어 다음 이 나라를 지배하고 다스릴, 유일한 인물이었다.

강만리는 고개를 숙인 채 대답했다.

"삼황자 주건의 죽음 때문이라고 생각합니다."

"으음."

주완룡은 손을 들어 태사의의 팔걸이를 내려쳤다. 그의 얼굴은 딱딱하게 굳어 있었다.

"내 어마마마께서 건을 아끼는 건 잘 알고 있다만…… 그렇다고 해서 건의 죽음을 자네 탓으로 돌릴 줄은 전혀 생각조차 하지 못했네. 미안하네."

주완룡은 진심으로 사과했다.

"내가 어마마마를 뵙고 이야기하겠네. 그러니……."

"아닙니다, 대사형."

강만리는 굳이 주완룡을 대사형이라 부르며 불쑥 고개를 들고는 씨익 웃었다.

주완룡은 살짝 당황한 기색이 되었다.

'도대체 전하라고 할 때는 언제고 또 지금 이 시점에서 굳이 대사형이라 부른 저의는 무엇이더냐?'

주완룡은 묘한 눈빛으로 멧돼지 같은 투박한 외모와는 달리 속에 능구렁이 열 마리는 족히 들어 있는 강만리를 내려다보았다.

이런 자는 확실히 곁에 두고 있어야 편하겠다는 생각이 언뜻 그의 뇌리를 스치고 지나갔다.

강만리는 능글맞게 웃으며 말했다.

"이번 일은 이 아우가 알아서 처리할 터이니 대사형께서는 모른 척하시면 됩니다. 아주 사소한 일로 끝나도록, 아무 소란 없이 지나갈 수 있도록 하겠습니다."

"으음."

주완룡은 턱수염을 매만지며 말했다.

"자네가 그리 말한다면야…… 알겠네. 모르는 척 지켜보기만 함세."

"한 가지 더."

강만리가 입을 열었다.

"황궁무고 말고 또 폐하께 부탁드릴 일이 있기는 합니다."

"이런."

주완룡이 한숨을 내쉬었다.

"아바마마께 부탁드린다는 게 말처럼 그리 쉬운 일인 줄 아느냐? 자네는 참으로 나를 곤란하게 만드는구나."

"헤헤, 원래 아우는 떼를 쓰기 마련이고, 큰형은 그 떼를 들어주기 마련입니다."

"이런. 그래서 내게 대사형이라 한 게로구나. 지금 이 이야기를 꺼내기 위해서 말이지?"

"아니, 대사형이라 불러 달라고 하지 않으셨습니까? 그럴 때는 언제고 또 이제 와서 한숨을 내쉬고 그러시는지요?"

"됐다. 자네와 이야기하면 할수록 머리가 지끈거리고

골치가 아파지니까. 이제 그만하도록 하자. 좋다. 그 부탁이라는 게 무엇이더냐?"

"양옹이라고 기억하십니까?"

말을 꺼내는 강만리의 표정이 진지해졌다. 주완룡도 이내 엄숙한 얼굴이 되어 말했다.

"그 이름을 잊을 수 있겠느냐?"

"폐하를 알현하고 싶다는 것이 그자의 마지막 소원입니다."

"음?"

주완룡은 고개를 갸우뚱거렸다.

"자네가 그자를 만난 것부터 궁금하지만 무엇보다 그자의 마지막 부탁을 들어주어야 하는 이유는?"

강만리는 차분하게 대답했다.

"그래야 남은 일들이 무리 없이, 아무 소란 없이 해결되기 때문입니다."

3. 조정 대신들이 하는 일

태자비가 목숨을 잃은 사건은 금세 사람들의 입을 타고 궁궐 전역에 퍼졌다.

비록 입단속을 한다고는 했지만, 사람들이 입을 놀리는

건 숨을 쉬는 것과 다를 바가 없었다. 특히 여인들에게, 그것도 좋지 않은 이야기를 남에게 퍼뜨리는 걸 금지하는 건 곧 숨을 쉬지 말라는 것과 다를 바가 없었다.

당시 태자비 궁에 있던 환관과 시녀들은 모두 복도가 부서지고 방문이 박살 나고 온갖 비명과 싸움 소리를 들었다. 또한 무슨 일인가 싶어 태자비의 거처로 달려갔다가, 잘생겼지만 살기등등하고 험상궂은 눈빛으로 사방을 경계하던 사내도 보았다.

그 환관과 시녀들이 놀라고 당황한 가슴을 진정시키기 위해서 동료, 선후배, 상관에게 하소연처럼 이야기했고, 그것은 다시 한 입, 두 입을 거치면서 점점 부풀고 거대해진 소문이 되었다.

하지만 그 소문들은 불과 하루 만에 깨끗하게 정리되었다. 황궁에서 평소와 다르게 미적거리지 않고 곧바로 사건에 대한 진상을 발표했던 것이다.

그리고 그 진상은 강만리가 조작했던 바와 놀라울 정도로 흡사했다.

-궁녀로 변장한 암살자들이 태자비를 살해하려 했지만, 마침 태자비를 알현하려 온 소진서 좌첩형관과 환관 지천경이 죽음을 각오하고 암살자들과 싸웠다.

태자비 또한 도망치지 않고 신하들이 위험에 처하자 스

스로 그 앞을 가로막고 나섰다가 목숨을 잃었다. 분노한 소 첩형관과 지 환관이 제 목숨을 바쳐 암살자들과 동귀어진하였다.

황궁은 모든 수사력을 동원하여 암살자들의 신분과 배후, 그 배경에 대해서 철저히 조사하고 관련자들은 모두 사형에 처할 것이다.

발표된 내용은 대충 그러했다.

태자비가 위기에 빠진 수하들의 앞으로 가로막고 나섰다가 목숨을 잃었다는 부분만 제외한다면, 강만리가 증거들을 조작하며 만들었던 이야기와 전혀 다르지 않았다.

그 발표를 들은 강만리는 고개를 끄덕이며 이렇게 중얼거렸다.

"그렇군. 태자비가 마냥 도망치기에 급급하다가 목숨을 잃었다는 것보다는 백배 낫군그래."

태자비 암살 사건은 그렇게 종료되었다.

하지만 그보다 더 귀찮고 난해한 문제가 아직 남아 있었으니, 조정에서는 태자비의 흉례(凶禮:장례 의식)에 관한 진행을 두고 갑론을박을 벌이고 있었다.

태자비가 암살당한 건 유래가 없는 일이었고, 그래서 그녀의 장례 방식에 대해서도 대신들마다 자신들의 주장을 피력했다.

황제와 태자보다 먼저 죽었으니 칠일장(七日葬)에 기년상(朞年喪:일 년 만에 탈상(脫喪)하는 것)을 치르고 황의(黃衣)을 입어야 한다고 주장하는 대신들이 있는가 하면, 오일장(五日葬)을 주장하는 대신이 있기고 했으며, 수하들을 지키려다가 영예로운 죽음을 맞이하셨으니 삼년상(三年喪)도 나쁘지 않다는 자들도 있었다.

또한 황제와 태자가 상복(喪服)과 상복을 입어야 하는 기간에 대한 논쟁도 끊이지 않았다.

황제와 황태자가 아홉 달 동안 대공복(大功服)을 입어야 한다고 주장하는 이들은 역시 태자비의 인척들이었고, 반대로 그건 너무 과하다면서 다섯 달 동안 소공복(小功服)을 입는 것으로 충분하다는 이들은 차기 태자비를 노리는 쪽의 대신들이었다.

놀랍게도 조정 대부분의 대신은 자신들의 이익에 따라서 계파가 달라지고 주장하는 바가 바뀌었다.

태자비의 인척 대신들이 뇌물을 돌리면 그들의 편에 서기도 했다가, 다시 다른 이들의 뇌물을 받고 그들의 주장에 손을 들어 주기도 했다.

"예제(禮制)에 따르자면……."

결국 모든 논의는 내각의 수보 대학사가 두툼한 책자를 펼쳐 들고 읽어 내려감으로써 정리되는 듯했지만, 태자비의 인척 대신들이 또 다른 국가전례서(國家典禮書)를 들고 와 반격하면서 다툼은 끝나지 않게 되었다.

"아니, 책마다 예법이 다 다르게 적혀 있다는 게 말이나 돼?"

그 소식을 전해 들은 강만리가 어이가 없다는 표정을 지으며 말하자, 정유는 이해할 수 있다는 듯 고개를 끄덕이며 말을 받았다.

"아무래도 그 책을 집필한 필자의 견해와 주관과 이해득실, 그리고 그가 속한 계파에서 주장하는 방식에 따라서 조금씩 바뀔 수밖에요."

"아무리 그래도 그렇지. 법규(法規)라는 게 그렇게 서로 다르다면 누가 그 법규를 따르겠어?"

강만리는 한숨을 내쉬며 고개를 설레설레 저었다.

"아니, 무엇보다 오일장인지 칠일장인지 황의인지 적의인지 그런 게 뭐가 중요하다고 그리 갑론을박을 벌이고 다투고 싸우는 건지 모르겠다."

"그게 조정 대신들이 하는 일이지요. 우리가 보면 별것 아니지만, 그들 나름대로는 자존심과 자신들만의 정의를 관철하는 일이거든요."

정유가 말을 받자 강만리는 눈살을 찌푸리며 말했다.

"아니, 조정 대신들이 해야 하는 건 나랏일이 아니냐? 어찌하면 부국강병(富國强兵)이 되고, 백성이 평안하게 잘살 수 있게 되느냐 그런 걸 논의하고 숙고해야지. 쌀 한 톨도 안 되는 장례의 규칙으로 며칠을 허비하는 게 도대체 말이 되는 일이냐는 거지."

"저 조선(朝鮮) 땅에도 장례의 규칙을 두고, 그러니까 상복을 얼마 동안 입느냐를 두고 조정의 대신들끼리 싸워 기해예송이니 갑인예송이니 하는 일들이 벌어졌다지요. 그때마다 자신들의 주장을 관철한 서인(西人) 혹은 남인(南人)이 세력을 쥐고 집권하게 되었고요."

"허어."

강만리는 저도 모르게 탄식하며 고개를 저었다.

"예나 거기나 매한가지로구나. 아니, 어쩌면 조정의 대신이라는 게 다 그런 놈들인 건지도. 여하튼 오래 있을 곳이 아니다. 머물면 머물수록 이곳에 대한 환상이 깨진다니까."

"그나저나 양옹에 대한 건은 어찌 되었습니까? 저와 담형님이 기껏 들것까지 만들어 두었는데 말입니다."

정유의 말에 강만리는 재차 한숨을 내쉬었다.

"아니, 그 태자비 건이 제대로 정리가 안 되고 있으니까. 그게 끝나야 어떻게 해도 해 볼 수 있을 텐데."

"하지만 마냥 이렇게 손을 놓고 있을 수만은 없잖습니까? 언제 놈들이 형님을 죽이려 들지 모르는 상황인데요."

"아니, 형님만 노린다면야 큰 상관이 없지만 우리까지 피해가 오니까 문제잖습니까?"

화군악의 말에 강만리는 눈을 부라렸다.

"어째 꼭 말을 해도 그렇게 밉게 말을 하냐, 너는?"

화군악이 어깨를 으쓱거렸다.

"사실을 사실대로 말하는 겁니다."

"칫."

강만리는 혀를 한 번 차는 것으로 더는 화군악에게 신경 쓰지 않은 채 정유를 돌아보며 말했다.

"아마 한동안 그들은 쉽게 움직이지 못할 테니 그건 안심해도 좋아."

"왜 쉽게 못 움직이는데요?"

화군악이 물었지만 강만리는 정유를 바라보며 대답했다.

"태자비 암살 사건의 배후를 조사한다고 동궁을 비롯하여 황궁 전역에 조사관들이 쫙 깔렸잖아? 그러니 최소한 그게 잠잠해질 때까지는 그들도 움직이지 않겠지."

"그럼 아예 우리가 최대한 일을 빨리 끝내고 황궁을 빠져나가는 건 어떨까요?"

"그것도 나쁘지 않은 방법이야. 사실 황궁 내에서는 아무래도 이런저런 제약이 많으니까. 무엇보다 상대는 어찌 되었든 황태자의 모친이자 황제의 부인이잖아? 그런 상대와 황궁에서 싸우는 건 역시 편한 일이 아니거든."

"그렇죠. 황궁 밖이라면 그 누구의 눈치도 보지 않고 마음껏 싸울 수가 있으니까요."

"그럼 그 방향으로 일을 진행해야겠네. 태자비 암살에 대한 조사가 잠잠해지기 전에, 황궁무고 등의 일을 마무리 짓고 서둘러 궁을 빠져나가는 쪽으로 말이야."

"와아, 그럼 이제 드디어 그 황궁무고에 들어가는 겁니까? 바로 그 황궁무고에요?"

"음, 아무래도 그곳에 들어갈 사람 수를 좀 조절해야겠어. 전하께서는 우리 식구 모두에게 그런 영광이 돌아갈 수 있도록 하겠다고 말씀하셨지만, 현실적으로 그건 조금 힘들 것 같고…… 많아도 열 명 정도로 선별하는 게 나을 것 같아."

"네? 왜죠? 대사형께서 직접 그리해 주신다고 했는데 왜 우리가 그걸 거부하는데요?"

"어쨌든 내 마음에 들지 않는 녀석은 제일 먼저 제외할 생각이야. 가령 군악이나, 혹은 화군악이나 그런 녀석부터 말이지."

"아아, 형님? 설마 삐치신 겁니까? 제가 조금 놀렸다고 해서요? 에이, 그러면 형님이 아니죠. 말도 안 됩니다. 어어, 왜 아무 말씀도 하지 않고 일어나시는 건데요? 형님! 형님!"

강만리는 화군악의 애타는 목소리를 뒤로한 채 별채를 빠져나왔다.

날은 여전히, 아니 갈수록 더 무더워졌고 지면에서는 뜨거운 열기가 아지랑이처럼 피어오르고 있었다. 객청 안에서 장예추와 정유가 화군악을 놀리며 웃는 소리가 들려왔다.

강만리는 미소를 지은 채 약당으로 발길을 옮겼다.

약당에서는 만해거사와 구자육이 머리를 맞댄 채 뭔가 심각한 표정으로 약재들을 배합하고 있었다.

이미 황태자의 수은 중독은 어느 정도 해결한 후였다. 앞으로 한 달가량 이 두 사람이 제조한 약을 달여 먹으면 더는 아무런 문제가 없을 터였다.

그런 이들이 지금 고민하면서 배합하고 있는 약은 다름 아닌 초유동에게 먹일 약이었다.

황궁의 의원답게 태의원에는 없는 약재가 없었다. 그러니 그동안 두 사람이 머릿속으로만 그려 왔던 약재들의 배합을 얼마든지 할 수가 있었고, 그래서 황태자 중독을 해결한 후로는 계속해서 초유동의 약을 배합하는 중이었다.

하지만 아무리 머리를 굴려서 배합한 약재를 달여 복용시켜도 초유동은 일어나지 못했다. 하루에 한 번씩 채석장의 왕위가 황궁을 찾아와서 보고했지만, 초유동은 한

치의 차도도 보이지 않는다고 했다.

"아무래도 이제 포기할 때가 된 것 같구나."

강만리가 막 약당 문을 열었을 때, 만해거사가 초췌해진 표정으로 고개를 들며 구자육에게 그렇게 말했다. 구자육이 깜짝 놀라 만해거사를 돌아보며 고개를 저었다.

"아닙니다. 아직 사용하지 않은 방법이 여덟, 아니 아홉 가지나 남아 있습니다. 포기할 때는 포기하더라도 그 아홉 가지 방법은 모두 사용하고 포기해야죠."

"구 당주 말이 옳습니다."

강만리는 성큼성큼 안으로 들어가며 말했다. 그가 들어서는 걸 전혀 몰랐는지 만해거사와 구자육이 화들짝 놀라며 돌아보았다.

강만리는 탁자 가득 널브러져 있는 온갖 약재들과 약방문을 내려다보며 말을 이었다.

"최소한 약재를 원 없이 쓸 수 있는 이곳에 머무를 때까지는 결코 포기해서는 안 됩니다. 세상 어디를 가도 이만한 종류의, 이렇게 귀한 약재는 없을 테니까요."

만해거사가 한숨을 쉬며 입을 열었다.

"하지만……."

강만리가 얼른 그의 말을 잘랐다.

"정 안 되면 마지막으로 황궁무고에 기대 보죠."

"황궁무고?"

만해거사의 눈빛이 살짝 달라졌다.

"네. 어쩌면 기사회생의 영약이 그곳 어딘가에 숨어 있을지도 모르니까요."

강만리의 말에 구자육이 원하던 선물을 받게 된 어린아이처럼 눈빛을 환하게 반짝이며 물었다.

"그럼 확정된 겁니까? 우리 모두가 황궁무고에 들어가는 것으로요?"

"그렇소."

강만리는 빙긋 미소를 지으며, 화군악에게 했던 거짓말과 달리 구자육에게는 사실대로 말했다.

"내일 아침에 들어가게 되었다는 것을, 조금 전에 태자 전하를 알현하는 자리에서 전해 들었소."

"와아!"

구자육이 펄쩍 뛰며 환호했다. 만해거사는 기쁨을 억누르며 조용히 중얼거렸다.

"부디 녀석을 살릴 방안이 그곳에는 있기를……."

7장.

훙서(薨逝)

일순 천예무의 몸에서 보이지 않는 무언가가 파앙! 하며 폭발하듯
사방으로 뻗어 나갔다.
무형살(無形殺)!
순수한 본 원진기(本源眞氣)의 힘만으로
능히 사람을 죽일 수 있는 무형의 압력!

훙서(薨逝)

1. 마지막 제안

"아무래도 올해 여름은 지랄 맞게 덥겠군."

뚱보 주인장은 힐끗 객잔 창밖을 내다보며 중얼거렸다.

지평선이 보이는 넓은 황무지에 둘러싸인 아주 조그만 마을의 객잔이었다.

사실 대륙의 동북쪽 끝자락인 유주 땅에서도 최북단이라 할 수 있는 이곳은 여름은 시원하고, 겨울은 한없이 추운 땅이었다.

그러나 올해는 달랐다.

아직 무더위가 본격적으로 시작되지도 않은 유월 말이

었지만 낮에는 황무지에서 뜨거운 열기가 아지랑이처럼 솟았으며, 밤에는 이른바 열대(熱帶)의 밤처럼 무더워서 좀처럼 잠을 이룰 수가 없었다.

그럼에도 불구하고, 아니 그렇기 때문일지도 모르겠지만, 지금 이 조그만 객잔에는 술을 마시는 주정꾼들로 북적거리고 있었다.

하기야 술꾼들에게 있어서 날씨와 술은 아무 상관이 없기는 했다. 날이 좋으면 좋아서, 추우면 추워서, 더우면 더워서 마시는 게 술이었다.

좋은 술이 아니더라도 마시고 취할 수 있는 술이라면 괜찮았고, 맛있고 훌륭한 안주가 아니더라도 술을 마시고 입가심을 할 수 있는 안주라면 충분히 좋은 게 그들 술꾼이었으니까.

탁자 가득 이 마을 술꾼들이 점령한 가운데, 구석진 자리에는 벌써 한 달 가까이 이곳 유랑객잔에 머물고 있는 손님들이 앉아서 술을 청하고 있었다.

여섯 명의, 세 명의 여인과 한 명의 청년과 두 명의 노인은 탁자 하나를 전세 놓은 것처럼 차지하고 앉아서 벌써 다섯 항아리의 죽엽청과 두 마리의 오리구이, 그리고 반 마리의 어린 돼지고기를 해치우고 있었다.

"여기 죽엽청 하나 더요."

낭랑한 여인의 목소리에 술꾼들이 저도 모르게 고개를

돌렸다.

세 명의 여인은 하나같이 아름답고 탱탱하며 육감적인 외모를 지니고 있었다.

하지만 술꾼들은 그저 눈으로 여인들의 풍만한 젖무덤과 잘록한 허리와 펑퍼짐한 엉덩이와 튼실한 허벅지를 훔쳐볼 뿐, 누구도 그녀들에게 시비를 걸지 않았다.

사실 그건 꽤 놀라운 일이었고 의외의 장면이었다. 술에 질펀하게 취한 사내들이 저렇게 요염하고 색기 뚝뚝 흐르는 여인들을 앞에 두고 음탕한 농지거리도, 괜한 수작도 부리지 않는 건 강호무림의 술집에서는 대체로 있을 수 없는 일이었다.

어쩌면 술꾼들은 술에 취한 상태에서도 저들의 무리가 평범하지 않다는 걸 알고 있는지도 몰랐다.

또 어쩌면 벌써 몇 차례 여인들을 집적거리다가 된통 혼이 난 것인지도 몰랐고, 또 어쩌면 애당초 술에 취했다고 해서 모르는 여인들에게 수작을 걸 정도로 어리석거나 멍청한 자들이 아닐 수도 있었다.

뚱보 주인장은 어슬렁거리며 죽엽청이 가득 담긴 술 항아리를 들고 와 탁자에 턱 하니 올려놓으며 말했다.

"왔다 갔다 하기 귀찮으니까 주문하려면 한꺼번에 시키라고. 물론 선금은 기본이고."

손님을 왕으로 모셔야 하는 게 일반적인 객잔 주인의

논리라면 이 뚱보 주인장은 달랐다. 이곳 유랑객잔의 주인이 자신이니 곧 이곳에서의 왕 또한 자신이라는 게 그의 주장이었다.

근 한 달 가까이 이 뚱보 주인장의 그런 괴팍한 성격을 겪은 까닭에, 아름다운 외모와는 달리 성질 급하고 모난 여인들도 별 반응을 하지 않은 채 품에서 은원보를 꺼내 탁자에 두며 투덜거렸다.

"술맛이 좋아서 참는 거예요."

뚱보 주인장은 솥뚜껑 같은 손으로 은원보를 집어 들며 피식 웃었다.

"술맛만 좋나? 음식맛도 좋지."

"칫."

여인이 뾰로통한 표정을 지으며 붉고 조그만 입술을 삐쭉거렸다.

"그 돼지 앞발 같은 손으로 만드는 음식이 왜 그리 맛있는지 모르겠다니까."

왈가닥 같은 성격에 지는 걸 참지 못하고 말보다는 행동이 더 빠른 그녀였지만, 의외로 뚱보 주인장 앞에서는 절에 온 새색시처럼 얌전하게 앉아서 입술만 삐죽일 따름이었다.

그녀가 처음부터 그런 건 아니었다. 단지 청년과 내기했던 승부에서 무참하게 패배한 후, 그러니까 자신의 외모와 몸매와 매력이라면 얼마든지 저 뚱보 주인장을 유혹할 수 있다는 자신감이 송두리째 무너진 후부터 그녀는 확실히 뚱보 주인장을 인정하고 있었다.

그건 그녀와 함께 내기했다가 패배한 다른 두 여인도 마찬가지였다. 패배한 이후부터 세 여인은 뚱보 주인장 앞에서 함부로 입을 놀리지도 행동하지도 않았다.

한편 묵묵히 술을 마시던 청년은 여인의 귀여운 종알거림에 빙긋 미소를 짓다가 불쑥 뚱보 주인장을 쳐다보며 입을 열었다.

"슬슬 결단을 내릴 때가 된 것 같은데 말입니다."

뚱보 주인장은 어깨를 으쓱거리며 대꾸했다.

"난 이곳을 떠나지 않는다니까. 게다가 자네에게 가르쳐줄 것도 없고."

청년은 일부러 낙담한 표정을 지으며 길게 한숨을 쉬었다.

"도대체 이곳이 뭐가 그리 좋습니까? 낮에도 유령과 귀신들이 튀어나올 것같이 스산하고, 잠깐 밖에 나가 산책할 때도 흙먼지로 뒤덮일 정도로 황량하고 바람 센 황무지인데 말입니다."

"아직 멀었구먼. 한 달 헛산 거야."

뚱보 주인장은 소리 없이 웃으며 말했다.

"그러니까 그게 좋은 거라니까."

"화산(華山)의 절경이나 태산(泰山)의 웅장함보다요?"

"그렇지. 이 황량함이 더 가슴에 파고들지. 사내라면 모름지기 황무지인 게다."

"동정호의 섬들이나 파양호의 물결보다요?"

"바람 부는 황무지를 가만히 보고 있자면, 흙먼지가 마치 물결처럼 일거든. 그 장관을 이해하지 못하다니."

"장강의 거대한 물줄기는요? 삼협(三峽)의 그 흉포하고 거친 물살은요?"

"아까 귀신이나 유령이 나올 것만 같다고 했지? 아니, 진짜 나오거든. 한밤중에 바람에 우웅거리며 세차게 휘몰아칠 때 등골이 섬뜩하고 오싹해지며 소름이 파고드는 순간의 느낌. 삼협의 물살이 아무리 흉포하고 무섭다고 하더라도 그 느낌을 따라올 수 있을까?"

"하아, 정말 당해 내지 못하겠습니다."

결국 청년은 활짝 웃으면서 두 손을 들었다.

"제가 이렇게까지 정성과 노력을 들여서 설득하지 못한 유일한 분입니다."

"어? 그거 칭찬인가? 그럼 고맙고."

"칭찬은요. 나중에 후회하게 되실 거라는 경고입니다."

"그럼 또 고맙지. 경고나 조언은 나를 겸허하게 만들어 주니까 말일세."

청년은 다시 고개를 휘휘 저었다. 느릿하고 단순하며

어리석어 보이는 외모와는 달리, 역시 말로는 당해 낼 수 없는 자였다.

이자를 놓치고 후회하는 건 어쩌면 자신이 될지도 모른다는 생각이 청년의 뇌리를 스치고 지나갈 때였다.

열어 둔 창을 통해 바람에 세차게 휘몰아쳤다. 거친 흙먼지가 바람을 타고 객잔으로 쏟아져 들어왔다. 술꾼들은 물론 청년과 노인, 여인들 역시 익숙해진 지 오래라는 듯 당황하지도 않고 팔을 들어 탁자 위의 요리들을 감쌌다.

뚱보 주인장은 창을 닫기 위해 창가로 다가서다가 "으응?" 하고 가늘게 눈살을 찌푸렸다.

"자네들의 심부름꾼이 오는군그래."

주인장의 말에 청년을 비롯한 사람들이 모두 창가 쪽으로 시선을 돌렸다.

희뿌연 하늘 저편에서 날아오는 검은 물체가 점처럼 보이는가 싶더니 이내 한 마리 매가 되어 순식간에 창을 통해 날아들었다.

노인 중 한 명, 월로가 팔을 들었다. 그 팔에 내려앉으며 매가 푸드덕 날개 치는 소리가 요란했다.

"천응이로구나."

언제나 미소를 머금고 있던 청년의 표정이 살짝 굳어지는 것 같았다.

낮의 전서응(傳書鷹)은 모두 세 마리로, 각각 천응과

독응, 패응이라는 이름으로 불렸다. 그중 천응은 중하고 긴한 소식을 전하는 임무를 맡고 있었다.

"예까지 오느라 고생했다."

월로는 천응의 부리와 머리를 한 번 쓰다듬어 준 다음, 발목의 대롱에서 쪽지 하나를 꺼내 청년에게 건넸다.

청년은 꼬깃꼬깃한 쪽지를 펼쳐 읽더니 "흐음." 하고 다시 쪽지를 구겨 손바닥 위에 올렸고, 이내 쪽지가 화르륵 불에 타 재가 되었다.

잠시 뭔가 생각하던 청년은 미소를 머금은 채 뚱보 주인장을 쳐다보며 입을 열었다.

"아무래도 이제 헤어질 때가 된 것 같습니다. 계속 이곳에 머물고 싶었지만 세상이 절 가만 놔두지를 않네요. 그런 의미에서 마지막으로 제안합니다. 우리와 함께하지 않겠습니까? 저를 도와주실 수 없겠습니까?"

2. 파란만장(波瀾萬丈)

뚱보 주인장은 한숨을 내쉬며 고개를 저었다.

"싫다니까."

청년은 웃으며 말했다.

"제 성의를 봐 주시죠. 닷새 정도 머무르려다가 무려

한 달 가까이 이곳에 눌러앉아 있는 성의를 말입니다."

여인이 불쑥 끼어들었다.

"우리 도련님, 그렇게 한가한 분이 아니시라고요."

"상관없지, 나와는. 누가 눌러앉으라고 했나?"

뚱보 주인장의 무뚝뚝한 말에 여인은 혀를 내밀었고, 청년은 다시 웃으며 입을 열었다.

"정말 못됐습니다."

"그래. 원래 나는 못됐지. 잘되었으면 이런 우중충한 곳에서 저런 술꾼들을 상대로 장사를 하고 있겠나?"

"그게 아니라…… 아닙니다. 그러니까 제가 잘되게 만들어 드리겠다는 게 아닙니까?"

"귀찮아, 잘되는 것도. 몸이 뚱뚱해지면 게을러지고 게을러지면 움직이기는 게 귀찮아지지. 움직이지 않으니까 뚱뚱해지고 다시 게을러지고……. 그러니 자네도 뚱뚱해지기 전에 관리 잘해야 할 걸세."

"게을러서 뚱뚱해지는 게 아닌가요?"

여인이 고개를 갸웃거리며 끼어들었다. 뚱보 주인장은 가볍게 눈살을 찌푸리며 말했다.

"그대처럼 쉴 새 없이 먹고 먹고 또 먹어서 살이 찌고 뚱뚱해지는 거지. 게으른 것과는 상관없다고."

"잘 먹어도 살이 안 찌잖아요, 저는?"

"지금이야 그렇지. 서른 넘고 마흔이 되면 달라질 거

야. 내 장담하지."

"그런 걸 두고 악담이라고 하는 거죠?"

"아니, 저주야. 뚱뚱한 자가 날씬한 자에게 퍼붓는."

청년은 뚱보 주인장과 여인의 대화를 마치 만담이라도 듣는 것처럼 웃으며 지켜보다가 불쑥 입을 열었다.

"정 안 되면 힘으로 모실 수도 있습니다."

뚱보 주인장은 깜짝 놀라며 물었다.

"누가? 자네가?"

청년은 어깨를 으쓱거리며 되물었다.

"저만으로 부족할 것 같습니까?"

뚱보 주인장은 당연하다는 듯 말했다.

"물론이지."

"그럼 제 동료들까지 합치죠, 힘을. 그럼 가능하지 않을까 싶은데요."

"흠, 그건 잘 모르겠군. 내 손과 발이 넷뿐이다 보니 여섯 사람을 상대로 싸워 이길 수 있을지는."

"알겠습니다. 그럼 힘으로 모시죠. 끝까지 제 호의를 거부하신다면요."

"하지만 그건 안 될걸?"

"왜죠?"

"자네에게 동료들이 있다면 내게는 술꾼들이 있으니까. 술꾼들은 매일 술을 마시기 위해서라도 내가 이곳을 떠나지 못하게 할 테니까."

"술꾼들에게 그럴 만한 능력이 있을까요?"

"어허! 초췌하고 추레하고 볼품없다고 해서 그 능력까지 과소평가하지는 말게. 비록 조그맣고 별 볼 일 없는 마을이지만 그래도 나름대로 한가락씩 하는 술꾼들이 모여 살고 있는 곳이니까."

"흐음."

청년은 게서 대화를 멈추고 객잔 대청을 둘러보았다.

추레한 늙은이, 딸기코에 게슴츠레한 눈으로 술잔만 응시하고 있는 중년인, 낡은 도관(道冠)과 찢어진 도복(道服)을 걸친 도사 등등 언뜻 보더라도 확실히 별 볼 일 없어 보이는 술꾼들뿐이었다.

하지만 청년의 미소 띤 입가와는 달리 그의 눈은 전혀 웃고 있지 않았다.

그 허름하고 추레하고 더러워 보이는 술꾼들에게서 뭔가 느낀 게 있는 것일까.

"그렇군요."

청년은 고개를 끄덕이며 말했다.

"확실히 힘으로 주인장을 모시려면 이쪽도 꽤 피곤해지겠습니다."

"역시 보는 눈은 있다니까. 확실히 매력이 있는 친구야."

뚱보 주인장을 팔짱을 끼며 웃었다.

"내가 조금 더 젊었을 때 자네를 만났더라면 확실히 자네를 따라갔을 것 같군. 그러나 세상을 논하고 야망을 꿈꾸기에는 이미 너무 나이가 들었네."

"아직 젊으십니다, 주인장은."

"육체적 나이가 아니라 정신적 나이를 말하는 걸세."

뚱보 주인장은 무뚝뚝하게 말했다.

"자네도 곧 알게 될 것일세. 육체의 나이는 세월에 따라 천천히 늙어 가지만 정신의 나이는 어느 한순간 갑작스레 확 먹는다는 걸 말이지. 뭐 어떤 돌팔이 도사는 그걸 두고 깨달음이라고도 하던데, 어쨌든 말이지."

청년은 잔잔한 미소를 머금은 채 뚱보 주인장의 이야기를 듣다가 희미하게 고개를 저으며 말했다.

"아쉽군요. 주인장과는 달리 아직 조언이나 경고를 겸허하게 받아들일 나이가 아니라서 말입니다."

"그러니까 하는 말일세."

뚱보 주인장은 문득 씨익 웃으며 말했다.

"자네가 내 조언까지 받아들인다면 그것처럼 무서운 게 또 없을 테니까 말이네."

그렇게 말을 마친 뚱보 주인장은 다시 계산대로 돌아가다가 문득 창밖을 내다보며 투덜거렸다.

"젠장, 정말 무진장 덥겠군. 올해 여름은 말이지."

그가 자리를 떠나 계산대로 돌아간 후 항아라는 이름을 가진 몽골의 여인이 조심스레 청년을 향해 물었다.

"천응이 무슨 소식을 가지고 왔어요?"

청년은 아무것도 아니라는 듯 씩 웃으며 입을 열었다.

"훙서(薨逝)했다는군, 태자비가."

"네? 훙서요?"

아무래도 한어(漢語)의 실력이 짧을 수밖에 없는 항아와 다른 두 몽골 여인이 고개를 갸웃거렸다. 그건 역시 한족이 아닌 두 명의 노인 역시 마찬가지였다.

"임금이나 왕족 등 고귀한 자의 죽음을 높여 부르는 말이다. 흠, 무슨 일로 훙서했는지는 공표하지 않았지만 역시 암살이나 독살을 당했겠지. 궁궐 안에서 갑작스레 죽음을 맞이한다는 건 늘 그런 거니까."

청년은 그렇게 중얼거린 후 천천히 술잔을 기울였다.

천응이 가져온 소식은 딱 세 가지였다. 태자비의 훙서가 첫 번째였는데 황궁에서는 그저 급사(急死)라고 세상에 발표했고, 소식을 받은 전국 각지의 고위 관리들은 서둘러 북경부로 떠날 채비를 하고 있다는 이야기였다.

두 번째 소식은 금해가를 비롯한 오대가문의 동정(動靜)이었다. 오대가문의 가주와 가주 대리들이 건곤가로 모이고 있다는 소식과 그에 따라 수천 수만의 병력이 이동 중이라는 소식이 적혀 있었다.

마지막 보고는 간단했다.

-그들은 지금 북경부 황궁에 있습니다.

이미 불에 타서 재가 되어 버린 쪽지에 적혀 있는 '그들'이 누구인지는 오직 청년만이 알고 있었다.

청년은 잠시 생각하다가 고개를 끄덕이며 빙긋 웃었다.

"역시 파란만장(波瀾萬丈)하구나, 너는."

아무래도 평범하게 살다가 평범하게 죽을 팔자는 아닌 모양이었다. 어렸을 적부터 그러더니 지금까지도 그의 주변에서는 온갖 기괴하고 괴상망측하며 일대사변(一大事變)이라 할 정도의 커다란 일들이 벌어지고 있었다.

"그래. 그 정도 파란(波瀾)은 몰고 다녀야지, 너답지."

청년은 이미 그들이 태자비의 홍서와 깊은 관련이 있다는 걸 알아차렸다.

어쩌면 태자비는 그냥 죽은 게 아니라 죽임을 당한 것인지도 몰랐다. 바로 그들에게 말이다.

"죽여야 할 수밖에 없거나 혹은 죽어야만 할 수밖에 없거나, 둘 중 하나겠지. 자세한 건 계속해서 보고가 들어올 테고……."

청년은 항아가 따라 준 술잔을 들면서 창밖으로 시선을 돌렸다.

무더운 바람이 황무지의 흙먼지를 이리저리 몰고 다녔다. 이 황량한 풍경도 이제 끝인 것이다.

그들의 이동 경로로 보건대 얼마 지나지 않아 그들은 이곳 유주에, 아니 이곳 유랑객잔에 당도할 것이다.

'아직 만나기에는 때가 이르지.'

청년은 그렇게 생각하며 술잔을 들이켰다. 죽엽청의 고아한 향기가 콧구멍을 통해 흘러나갔다. 잔을 내려놓자 이번에는 상희가 술을 따랐다.

'아쉽게 되었군. 여러 가지로.'

청년은 힐끗 계산대의 뚱보 주인장을 바라보았다. 그러고는 이내 표정을 바꿔 웃는 낯으로 세 명의 여인을 돌아보며 입을 열었다.

"내일 아침 이곳을 떠나기로 하자꾸나."

"진짜요?"

"와아."

"으음, 조금은 아쉽네요."

여인들의 반응은 각각 달랐다. 하지만 그녀들의 얼굴 한쪽으로 스며드는 아쉬운 표정은 다들 마찬가지였다.

그건 두 명의 노인도 마찬가지였다. 한 달 가까이 머물러 있다 보니, 아무래도 이 지긋지긋하고 황량하고 스산하기만 한 풍경에도 정이 든 모양이었다. 그들은 입맛을 쩝쩝 다시며 술을 들이켰다.

조금 전 뚱보 주인장과 말싸움을 했던 항아가 슬쩍 뒤를 돌아 그를 쳐다보며 입을 열었다.

"잘됐어요. 안 그래도 저 주인장처럼 뚱뚱해질까 봐 걱정했거든요. 이곳에는 너무 할 게 없어요. 먹는 것에 비해서."

다른 여인이 말을 받았다.

"그렇기는 하지. 이곳은 너무 권태스러워서 저도 모르게 무력감에 빠지거든. 너무 오래 있었어, 이곳에."

마지막 여인이 고개를 끄덕이며 동의했다.

"새파란 하늘을 본 지가 얼마나 되었는지 모르겠다고."

그럼에도 불구하고 그렇게 말하는 세 여인의 얼굴에는 아쉬움과 망설임의 흔적이 역력했다.

청년이 웃으며 말했다.

"혹시라도 아쉬운 사람은 이곳에 남아도 좋다. 이곳에 남아서 주인장의 마음을 흔들어 사랑에 빠지게 하면 더더욱 좋고. 그래서 주인장이 다시 강호로 나서게 만든다면 내 그 사람에게 절반의 재산과 절반의 권력, 그리고 절반의 사랑을 줄 테니까."

세 여인은 청년의 제안에 마음이 살짝 흔들리는 듯 눈동자를 이리저리 굴렸다. 하지만 그녀들은 이내 고개를 흔들며 말했다.

"됐거든요. 누가 저런 뚱땡이를 좋아한다고."

"저는 오직 도련님뿐이라고요."

"여기서 하루라도 더 살라고 하면 미칠 거예요, 아마."

"하하하."

청년은 그렇게 말할 줄 알았다는 듯이 웃으며 고개를 끄덕였다.

"그래. 그럼 내일 아침 떠나기로 하자. 남은 정과 미련은 저 황무지에 버려 두고 말이지."

청년은 힐끗 뚱보 주인장을 바라보고는 술잔을 들었다.

"그런 의미에서 건배."

세 명의 노인과 두 명의 여인이 동시에 술잔을 높이 들었다.

3. 무형살(無形殺)

천예무는 기분이 좋았다.

새로운 활력이 넘쳐 나면서 심지어 회춘을 한 것 같은 느낌이었다.

사실 천예무는 성(性)에 대해 담백한 편이었다. 가끔 남들 앞에서는 호색한인 것처럼 행동하기도 했지만, 그건 어디까지나 타인에게 보여 주는 용도 그 이상도 이하도 아니었다.

그의 아내이자 천휘수와 천소유의 모친이 죽고 난 이

후, 그는 여인과의 성관계에서 특별한 쾌감이나 즐거움을 느끼지 못했다.

그저 힘든 노동을 통해 얻는 아주 짧은 시간의 쾌락. 천예무에게 있어서 성관계는 그 정도에 불과했다.

언젠가 보다 못한 암영단주 한조가 그에게 충심으로 진언한 적도 있었다.

-속하와 하룻밤을 보내신다면 생각이 달라지실 겁니다, 가주.

그러나 천예무는 냉랭한 표정으로 고개를 저었다.

그는 수하들에게 있어서 하늘이었고 신(神)이어야 했다. 자신의 통솔력은 고고한 품격과 압도적인 위엄으로부터 나온다고 생각하는 인물이었다.

그런데 한조와 성관계를 갖는다는 건 곧 수하의 앞에서 온갖 추태를 다 보여야 한다는 의미와 다를 바가 없었다.

절대 그럴 수는 없었다. 가끔 인요와 하룻밤을 보내는 게 어떤 기분인지 가벼운 호기심도 생겼지만, 그는 한조가 사천당문에서 목숨을 잃을 때까지 자신의 품위와 절대적인 위엄을 유지했다.

그런 천예무였지만 요 며칠 사이 그는 전혀 다른 사람이 된 것처럼 하루에도 몇 번씩 새로운 처녀를 자신의 잠자리에 들이고 있었다.

-외손자보다는 아들이 낫다.

그렇게 결심한 이후, 천예무는 누구보다도 뛰어난 아들을 낳아 줄 여인을 물색하기 시작했다.

금해가 초일방의 손녀인 초운혜도 물망에 올랐으며, 비록 나이는 많지만 남궁세가의 남궁보옥도 나쁘지 않은 자질을 가지고 있었다.

아미파(峨嵋派)의 혜은(慧恩)은 아직 스물도 안 된 나이에 차기 장문인 후보에 오를 정도로 무위가 뛰어나다고 했으며, 철기장(鐵騎莊)의 무남독녀 역시 상당한 미모에 뛰어난 무공의 소유자라고 했다.

욕심 같아서는 그녀들 모두 데리고와 자신의 씨를 뿌리고 싶었지만 확실히 그건 천예무의 욕심인 게다.

어쨌든 천예무는 총관에게 가장 무공의 자질이 뛰어나고 현명하고 아름다운 여인을 찾아내라고 지시했다.

또한 그는 젊고 탱탱하며 체력이 뛰어난 어린 여인을 만족시키기 위해서 나름대로 훈련이 필요하다고 생각했고, 그래서 자신의 처소에 건곤가와 그 일대의 젊은 처녀들을 끌어들이기 시작했다.

첫날만 하더라도 천예무는 조금도 즐겁지 않았다. 성(性)을 모르거나 알아도 몇 번의 경험을 하지 못한 처녀들 위에 올라타서 몸을 움직이는 건 확실히 힘들고 지루

하기만 한 일이었다.

겁에 질려 벌벌 떠는 데다가 목석처럼 단단히 굳어 있는 여인들을 기쁘게 만들고 황홀경으로 인도하는 건, 거의 곤욕이라 할 수 있는 일이었다.

무엇보다 벌거벗은 처녀의 배 위에 정액을 배출한 다음 불현듯 찾아오는, '지금 내가 뭘 하고 있는 거지?' 하는 그 허탈감과 자조를 도저히 참을 수가 없었다.

하지만 잠자리가 거듭되면서 상황은 달라졌다. 여인들의 몸이 긴장과 두려움에서 풀려나고, 한 번 녹기 시작한 육체는 끈적끈적한 액체로 변해 천예무에게 달라붙었다.

아프다는 비명 대신 교성(嬌聲)과 감창(甘唱)이 흘러나오기 시작했고, 목석같이 꼼짝하지 않던 여인들이 천예무의 목을 껴안고 두 다리로는 그의 허리를 감싸며 엉덩이를 흔들어 댔다.

'허어, 요것들 봐라?'

천예무는 여인들의 반응을 즐기기 시작했다.

사실 천휘수와 천소유의 모친은 엄격한 가풍 속에서 자란 규중처자(閨中處子)였고, 그래서 죽을 때까지 자신의 은밀한 성욕을 드러내지 못하고 수동적으로만 천예무를 받아들였다.

어쩌면 천예무가 성에 담백해진 건 그런 아내의 성향에서 비롯된 것인지도 몰랐다.

어쨌든 천예무는 아무것도 모르는 아이에게 뭔가 하나씩 가르치면서 재미와 즐거움을 느끼듯, 자신이 이것저것 방중술(房中術)을 가르친 여인들의 기교가 하루가 다르게 발전하는 걸 보며 즐거워했다.

'나중에 은퇴하면 기루 하나를 크게 차린 다음 그곳에서 창기(娼妓)들이나 키워 볼까?'

그런 엉뚱한 생각이 들 정도로, 천예무는 자신에게 지금껏 모르고 있었던 재주가 있음을 알게 되었다.

'예순이 넘어서도 새로운 재주와 자질을 발견할 수가 있다니……. 자신에게 아무런 재주가 없다고 일찍 포기하는 것처럼 어리석은 일이 또 없겠구나.'

천예무는 문득 그간 재능이 보이지 않는다고 해서, 자질이 형편없다고 해서 내친 수하들과 문인(門人)들을 떠올렸다.

어쩌면 그들 또한 본인도 모르고 천예무도 모르는 재능을 가지고 있지는 않았을까.

그리고 결국 뛰어난 지도자라면 아랫사람들의 숨겨진 자질과 재능을 조금이라도 빨리 파악하여 일깨워 줄 의무가 있지는 않을까.

천예무는 그런 현학적인 생각을 하면서 새파랗게 어린 여인들과 뒹굴었고, 그런 까닭에 북경부에 가려던 계획이 잠시 뒤로 미뤄졌다.

그날도 천예무는 세 명의 어린 처자들과 한바탕 정사를 벌인 후, 객청에 나와 앞섶을 풀어 헤친 채 얼음 띄운 산매탕을 마시며 더위를 식히던 참이었다.

침소에는 벌거벗은 세 여인들이 아무렇게나 누운 채 연신 거친 숨을 토해 내고 있었다. 천예무의 입가가 절로 씰룩거렸다.

'아직 늙지 않았군.'

천예무가 그렇게 자신의 왕성한 정력과 체력에 감탄하고 있을 때, 총관이 헐레벌떡 객청으로 달려왔다.

"무슨 일이냐?"

천예무는 입가의 미소를 지우지도 않고 물었다.

총관은 벌벌 떨리는 손으로 쪽지 한 장을 건네며 말했다.

"태자비가 홍서했다고 합니다."

"홍서?"

일순 천예무의 낯빛이 변했다. 미소는 사라졌고 눈에서는 불똥이 튀었다.

총관은 허리를 숙인 채 보고했다.

"암영단의 사절(四節)도 죽거나 행방이 묘연해졌다고 합니다."

천예무는 황급히 쪽지를 읽어 내려갔다.

신분을 바꿔 황궁에서 살아가는, 천예무의 또 다른 수하이자 세작이 보내온 쪽지에는 다급하게 갈겨쓴 듯한 글이 적혀 있었다.

빠르게 훑듯이 읽어 내려가는 천예무의 얼굴이 더욱 굳어져 갔다.

“이런…….”

쪽지에는 이틀 전 황궁에서 발생한, 태자비의 홍서에 관한 정보가 세세하게 적혀 있었다.

태자비가 독을 깨물어 자결한 것과 궁녀 소설과 추분이 살해당한 것, 그리고 다른 궁녀 두 명이 행방불명된 것까지 당시 그 자리에 있었거나 혹은 그 일과 상당한 연관이 있지 않고서는 도저히 알 수 없는 내용까지 담겨 있었다.

“무림오적!”

천예무는 어금니를 꽉 깨문 채 으르렁거렸다.

그의 두 눈에서는 걷잡을 수 없는 살기가 폭사했고, 그의 전신에서는 감당할 수 없는 위압감과 압박감이 서리서리 뿜어져 나왔다.

일순 천예무의 몸에서 보이지 않는 무언가가 파앙! 하며 폭발하듯 사방으로 뻗어 나갔다.

무형살(無形殺)!

순수한 본 원진기(本源眞氣)의 힘만으로 능히 사람을 죽일 수 있는 무형의 압력!

총관은 그 엄청난 무형살의 기파(氣波)를 견뎌 내지 못하고 뒤로 물러나다가 결국 한 움큼 피까지 토해야 했다.

단지 천예무의 살기로 인해 적잖은 내상을 입은 것이다.

"우욱!"

총관이 피를 토하는 소리에 천예무는 퍼뜩 정신을 차렸다. 그러고는 천천히 기를 거둬들이며 혀를 찼다.

"겨우 이 정도로 내상을 입으면 어찌하느냐?"

총관은 입가에 묻은 피를 닦을 생각도 하지 못한 채 허리를 숙였다.

"죄송합니다, 가주."

"약당에 들러 대환단(大還丹) 한 알을 받아서 복용하도록 해라. 겪어 보니 내상에는 그보다 좋은 약이 없더구나."

총관은 믿어지지 않는다는 듯 눈을 휘둥그레 뜨며 저도 모르게 고개를 들고 천예무를 쳐다보았다. 그러고는 자신의 실수를 눈치챈 듯 황급히 고개를 숙이며 대답했다.

"가주의 은혜에 몸 둘 바를 모르겠습니다. 대환단과 같은 귀한 약을……."

"그만하고 어서 가 보거라."

천예무는 냉랭하게 말했다.

총관은 다급하게 입을 다물고는 고개를 숙였다. 그리고 얼른 객청을 빠져나가 약당으로 향했다.

허겁지겁 달려가던 총관은 그제야 깨닫고 입가에 묻은 피를 닦아 내다가 문득 고개를 갸웃거렸다.

'그리고 보니 가주께서 조금 부드러워지신 것 같은데.'

조금 전 보여 줬던 천예무의 태도는 확실히 평소의 그 냉정하고 무심하며 무정한 모습과는 사뭇 달랐다.

'도대체 요 며칠간 무슨 일이 있었던 거지?'

총관이 그런 의문을 떠올리며 약당으로 달려가고 있을 때, 한편 천예무는 삼매진화의 수법으로 손바닥의 쪽지를 태우며 중얼거렸다.

"좋지 않군."

확실히 좋지 않았다.

황궁의 세작이 보내온 쪽지에는 한조라는 이름까지 적혀 있었다.

거기에서 조금만 조사해 보면 한조란 인물이 건곤가의 천예무가 삼황자 주건에게 바치는 예물이라는 걸 알게 될 것이다. 아니, 황태자 주완룡은 이미 그 사실까지 파악했을 가능성이 컸다.

"빠르게 흔적을 지워야겠다."

천예무는 턱수염을 매만지며 중얼거렸다.

그 어떤 일보다 먼저, 이번 사건의 배후에 건곤가와 천예무가 있다는 흔적을 지워야 했다.

주완룡이 직접 물었을 때 완강하게 부인할 수 있도록, 그리고 그 부인에 주완룡이 더는 토를 달 수 없도록, 건곤가와 그에게까지 이어지는 모든 흔적을 깨끗하게, 그리고 최대한 빠르게 지워야 했다.

그리고 그 첫 번째 방법은…….

천예무의 눈가에 다시 짙은 살기가 안개처럼 피어오르기 시작했다.

8장.

보고(寶庫)

수천 년 역사 동안 수십의 나라들이 흥망성쇠(興亡盛衰)를 겪으며
왕조(王朝)가 바뀌었다.
하지만 그러는 동안에도 황실의 보물 창고에는
역대 진귀한 보물과 이물(異物)들이 차곡차곡 쌓였으니,
그 창고들을 가리켜 황궁보고(皇宮寶庫)라 불렀다.

1. 숨도 쉬지 못할 거야

사실 태자비의 장례 때 황제와 황후를 비롯한 황족들이 어떤 상복을 입느냐 하는 건 극히 사소한 문제였다.

하지만 그 사소한 문제를 두고 조정의 대신이 양쪽으로 나뉘어서 격한 토론과 심지어 고성은 물론, 육두문자(肉頭文字)까지 오간 이유는 오직 하나였다.

자신이 속한 계파와 파벌이 주도권을 잡느냐, 잡히느냐의 싸움.

그 싸움을 통해서 차후 조정의 판도가 정해지고 그로 인해 권세를 잡게 된 계파는 이후 모든 정책과 이익 다툼에서 큰소리를 낼 수가 있었다.

저 예송(禮訟) 전쟁이라고 불리는 조선의 여러 당파 싸움 또한 바로 그런 연유로 발발했으며, 또 그런 결과로 막을 내렸다.

이번 경우도 마찬가지였다. 내각과 황태자를 미는 주류파와 황후와 이황자, 삼황자 등을 뒷배로 삼은 비주류의 대신들은 서로 주도권을 잡기 위해 케케묵은 당나라 시대의 예서(禮書)까지 들먹이며 싸움을 멈추지 않았다.

물론 그 결정은 황제의 몫이었다. 황제가 결정하면 이 모든 사달이 끝이 나겠지만, 그렇게 결정하기가 어려운 게 또 현실이었다.

가령 총애하는 대신이 식음전폐까지 하면서 자신의 주장을 굽히지 않는다든가, 수십 명의 대신이 "통촉하여 주시옵소서!" 하면서 이마를 쿵쿵 찧어 대면 그것처럼 난감한 일이 또 없었다.

하지만 영원히 끝나지 않는 잔치가 없듯이 황제가 주류파의 손을 들어 주는 것으로 결국 대신들의 싸움도 막을 내렸다.

사실 상복이라고 해서 상복 하나를 결정하는 문제로 끝나는 게 아니었다.

장례의 방법, 장례 행사의 순서와 진행 등등 모든 것들이 상복과 이어졌고, 상복의 승자인 주류파의 의견에 따라 그 모든 것들이 일사천리로 결론이 났다.

한편 그렇게 조정 대신들이 싸우는 동안에도 장례 준비는 척척 진행되고 있었다.

태자비가 죽은 다음 날, 슬픔과 애도를 표하는 거애(擧哀) 절차를 행한 뒤, 시신을 목욕시키고 깨끗하게 닦은 다음 수의(壽衣)를 입히는 습(襲)의 과정을 지나 습전(襲奠), 즉 장례 전에 영좌(靈座) 앞에 술과 과일 등을 차려 놓았다.

죽은 자의 입속에 쌀[稻米]과 진주를 넣는 걸 두고 반함(飯含)이라고 하는데, 죽은 이가 저승 가는 동안이나 그곳에 도착한 뒤 먹고 쓸 양식과 용돈이었다.

물론 태자비의 입안에도 오른쪽부터 쌀과 진주, 다시 왼쪽으로 쌀과 진주를 넣는 반함이 이뤄졌다.

그 뒤로도 장례의 절차는 계속 이어져서 새로 만든 염의(殮衣)로 갈아입힌 다음 시신을 이불로 두르고 메우는 소렴(小殮)을 끝내고 소렴존(小殮尊)까지 올린 상황에서 그날의 진행은 멈췄다.

그리고 다음 날에는 다시 시신에 옷을 거듭 입히고 이불로 싸서 베로 묶는 대렴(大殮)을 한 후, 입관(入棺)의 절차가 진행된다.

그 모든 장례 절차에는 황족의 여인들과 고위 관리의 아내들로 조직된 외명부(外命婦), 궁녀와 여관들의 부서인 내명부(內命婦)의 높은 이들이 참석, 주관하여 진행하였다.

"다행이네요, 내 차례까지 오지 않아서요."

예예는 진심을 담아 그렇게 말했다.

사실 예예에게도 장례 절차가 시작되기 전, 황태자 밀위장(密衛長)의 아내 된 자격으로 그 장례 절차에 참석하면 어떠냐, 하는 제의가 들어오기는 했었다.

예예는 펄쩍 뛰고 싶은 마음을 억지로 참으며 매우 정중하고 공손하게 거절했다.

"배운 것 없는 천한 여식이라 폐만 끼칠 게 당연합니다. 다시 없을 영광이지만 모쪼록 거둬 주시기 바랍니다."

그 제안을 들고 온 환관은 당연히 그렇게 대답할 줄 알았다는 듯이 두 번 권하지도 않고 그대로 물러갔다.

"그래도 한 번쯤 보고 싶지 않았어? 황제의 고모를 비롯해서 비빈과 공주들을 모두 볼 수 있는 자리였는데."

나찰염요의 말에 예예는 손사래를 쳤다.

"어휴, 그런 말은 하지도 마세요. 생각만 해도 숨을 쉬지 못할 것 같아요."

정소흔이 고개를 끄덕이며 말했다.

"나도 그럴 것 같아. 아마 오금이 저려 제대로 서 있지도 못하거나 아니면 아예 선 채로 기절하거나 둘 중 하나일 거야."

"저두요."

"나도. 그 자리에서 아마 죽을지도 몰라."

당혜혜와 소화도 한숨을 쉬며 동의하자 나찰염요는 피식 웃으며 말했다.

“명색이 강호의 여협이라는 사람들이 그렇게 담이 작아서 어째?”

“그럼 언니는요?”

“나? 나야 당연히 안 가지. 나도 숨을 쉬지 못할 것 같거든.”

“에이, 그게 뭐예요?”

나찰염요의 대답에 여인들이 까르르 웃었다.

“뭐가 그리들 재밌습니까?”

객청 문이 열리고 강만리를 비롯한 남정네들이 우르르 몰려들었다. 오래간만에 여인들끼리 모여 앉아 수다를 떨고 있던 즐거움이 사라지자, 나찰염요는 사내들을 향해 눈을 흘기며 말했다.

“왜들 벌써 돌아오셨어요?”

“아, 일이 좀 빠르게 끝났습니다.”

강만리가 머쓱한 표정으로 대답한 후 예예의 곁으로 다가가 앉으려 할 때였다. 장예추가 그의 팔을 잡아당기며 고개를 흔들었다.

강만리는 ‘왜?’ 하는 듯한 눈빛으로 돌아보자, 장예추는 대답 대신 여인들을 향해 말했다.

“아, 약당에 볼일이 있는 걸 잊고 있었네요. 그럼 우리는 남은 일을 처리할 터이니 계속 이야기를 나누세요."

장예추는 강만리를 끌고 객청을 빠져나갔다.

"어? 약당에 볼일이 있었어?"

강만리는 영문도 모른 채 끌려 나갔고, 화군악과 담우천, 그리고 정유는 희미한 미소를 지은 채 그 뒤를 따라 객청을 나섰다.

"아휴, 보면 몰라요?"

객청을 나선 화군악이 강만리에게 한 소리 했다.

"여인네들끼리 모여 앉아서 수다를 떨고 있잖아요? 이럴 때는 잠자코 비켜 주는 게 예의라고요."

"응? 그런 예법도 있어?"

"그럼 형님 혼자 들어가서 저 자리에 합석하실래요?"

강만리는 화군악의 말에 잠시 그 모습을 떠올렸다. 그는 이내 화들짝 놀라며 고개를 설레설레 흔들었다.

"아니, 나 혼자 거기 있다가는 숨도 쉬지 못할 거야."

"그러니까요."

화군악이 어깨를 으쓱거리며 말했다.

"그럼 약당에나 가 보죠. 만해 사부와 구 당주가 얼마나 곤욕을 치르고 있는지 구경이나 하게요."

"정말 못됐다."

장예추의 말에 화군악이 껄껄 웃으며 약당으로 발길을 향할 때였다. 때마침 별채의 정문이 열리고 문을 지키던 경비 무사가 안으로 들어섰다.

"엄(嚴) 환관께서 태자 전하의 전갈을 가지고 오셨습니다."

강만리가 돌아보며 물었다.

"무슨 일이오?"

"한시라도 빨리 태자전으로 입궁하라 하셨답니다."

'한시라도 빨리? 그렇게나 급한 일은 이제 없을 텐데?'

강만리는 고개를 갸웃거리면서도 알았다고 대답했다. 이어 그는 동료들을 돌아보며 말했다.

"그럼 다녀오겠습니다."

담우천이 한 걸음 나서며 말했다.

"나도 함께 가세."

혹시 모를 상황을 대비하여 동행하겠다는 표정이었다. 강만리는 그렇게까지 할 필요가 없다고 말하려다가 다른 이들의 눈빛을 보고는 고개를 끄덕였다.

"그럼 함께 가시죠."

* * *

확실히 그렇게까지 할 필요는 없었다.

강만리와 담우천은 아무 일 없이 태자전에 들어섰고, 황태자 주완룡은 환관들과 상의를 하다가 그들을 반겼다. 주완룡은 환관들을 물린 후 강만리와 담우천에게 차를 건네며 입을 열었다.

"상복에 관한 이야기를 하던 참이었다. 마침 어떤 상복을 입어야 할지 결정이 되었다는구나."

그렇게 말하는 주완룡의 얼굴은 수척해 보였다. 뺨은 쑥 들어갔고 눈 밑은 검은 것이, 마치 중한 병을 앓고 있는 병자처럼 보였다.

당연하리라.

믿고 사랑하고 아끼던 아내의 배신과 죽음을 겪은 지 겨우 이틀이 지났을 뿐이었다. 마음고생은 그 어떤 질병보다 몸과 마음을 축내게 하는 법이었다.

그러나 여전히 그의 눈빛은 깊고 정갈하게 반짝이고 있었다. 그 눈빛만 보자면 주완룡의 상태에 대해서 더는 걱정하지 않아도 될 것 같았다.

"아, 드디어 정해졌습니까? 다행입니다."

강만리는 감히 황태자 주완룡과 마주 앉아서 차를 마시며 고개를 끄덕였다. 주완룡은 강만리와 담우천을 가만히 바라보다가 살짝 고개를 숙이며 말했다.

"생각해 보니 자네들에게 고맙다는 말을 하지 않았던 것 같아서 이리 불렀네. 정말 고맙네."

황태자의 인사를 받은 강만리와 담우천은 감당하지 못하고 자리에서 일어나 깊게 허리를 숙였다.

"그저 할 일을 했을 뿐입니다."

"인사는 거둬 주시기 바랍니다."

"허허. 자리에들 앉게. 그러니 꼭 우리가 남 같잖은가?"

주완룡의 말에 두 사내는 다시 자리에 앉았다. 주완룡은 그들과 함께 차를 마시며 이야기를 꺼냈다.

"주변 정리는 모두 끝났네. 태자비의 명령에 따라 수은을 하독한 하수인들까지 모두 처리했네."

역시 주방태감 유상문이라는 자의 일이었다.

그는 태자비가 주완룡의 건강과 보양강장을 위해 수은을 풀라는 지시를 아무런 의심 없이 받아들였다.

당시만 하더라도 수은의 해독성에 관해 아는 자가 거의 없었던 만큼 유상문은 별다른 죄의식 없이, 아니 외려 황태자를 위한다는 충정으로 국과 음식 등에 수은을 뿌렸던 것이다.

'흐음, 내 앞에서 그렇게 당당했던 건 역시 죄의식이 전혀 없었기 때문이었구나.'

강만리는 주방태감을 만났을 때의 기억을 떠올리다가 입을 열어 물었다.

"그럼 그 유 태감은 어찌 되는 겁니까?"

"당연히 사형이지."

주완룡은 차분한 어조로 말했다.

"비록 좋은 의미로 했다지만 황태자의 음식에 미리 승인받지도 않은 무언가를 탄다는 건 확실히 사형을 받아

마땅한 일이네."

"아, 그렇군요."

강만리는 고개를 끄덕였다.

하기야 이번 일을 눈감아 준다면 이와 비슷한 일들이 계속 일어날 수 있었다. 그런 일을 경계하기 위해서라도 일벌백계(一罰百戒)는 반드시 필요했다.

"그건 그렇고……."

주완룡은 찻잔을 내려놓으며 입을 열었다.

"폐하의 허락이 떨어졌네. 오늘 유시(酉時), 자네들 모두 황궁보고(皇宮寶庫)에 들어가게 되었네."

일순 강만리가 크게 기뻐했다.

"정말이십니까? 감사합니다, 대사형."

주완룡은 씁쓸하게 웃으며 말했다.

"이제야 대사형이라 불러 주는군그래."

2. 황궁보고(皇宮寶庫)

수천 년 역사 동안 수십의 나라들이 흥망성쇠(興亡盛衰)를 겪으며 왕조(王朝)가 바뀌었다.

하지만 그러는 동안에도 황실의 보물 창고에는 역대 진귀한 보물과 이물(異物)들이 차곡차곡 쌓였으니, 그 창고들을 가리켜 황궁보고(皇宮寶庫)라 불렀다.

황궁보고는 크게 세 곳으로 나뉜다.

세상의 온갖 진귀한 보물과 금은보화로 가득 찬 곳을 진고(珍庫)라 했으며, 강호 무림의 상승 무공이 적힌 무서(武書)와 비급(祕笈), 영약과 신병이기(神兵異器)를 모아 둔 창고는 무고(武庫)라고 칭했다.

그리고 분서갱유(焚書坑儒) 이후 세상의 모든 현학(玄學)의 가르침을 담은 책과 의서(醫書), 그리고 명성 드높은 시인들, 소설가, 화가들의 작품을 정리해 둔 곳은 서고(書庫)라 했으니, 곧 황궁진고, 황궁무고, 황궁서고 이 셋을 합쳐 황궁보고라 했다.

황궁보고에는 아무나 들어갈 수가 없었다. 보고들을 관리하는 태감 이외에는 나라에 혁혁한 공을 세우거나 황족에게 커다란 은혜를 입힌 자들만이 황제의 허락을 받고 들어갈 수 있었다.

물론 워낙 귀한 물건들로 가득 찬 보물창고이니만큼 들어가고 나옴에 있어서는 매우 세세하고 정밀한 검색이 뒤따랐다.

무엇보다 보고에서 나올 때 사람들은 옷을 모두 벗어서 옷가지는 물론 신체 모든 부위까지, 심지어 항문과 음문(陰門) 속까지 속속들이 관찰당해야만 했다.

무자비할 정도로 엄격한 검색이었지만, 그렇다고 그 검

색이 싫어서 보고에 들어서기를 거부하는 이는 지금껏 단 한 명도 없었다.

* * *

"싫어요."

화평장의 여인들은 한목소리를 냈다.

"그렇게 수치스러운 일을 겪으면서까지 가고 싶지는 않아요."

"세상에, 어떻게 그런 곳까지 검색할 생각을 다 했대요? 설마 그런 검색을 받은 여인들이 있었대요?"

"아무리 여관 궁녀들에게 조사를 받는다고 하더라도 그건 말도 안 되는 일이에요."

나찰염요를 비롯한 여인들은 다들 얼굴을 붉히면서 화를 냈다.

강만리는 길게 한숨을 내쉬었다. 그의 얼굴에는 당황한 기색이 역력했다.

순간의 부끄러움과 창피함 때문에 천하의 황궁보고에 들어갈 기회를 차 버릴 거라고는 전혀 예상하지 못했던 까닭이었다.

"정 그러시다면 어쩔 수 없죠. 우리들끼리만 들어가겠습니다."

강만리가 설득을 포기하고 그리 말할 때였다. 다른 여인들과는 달리 잠자코 생각에 잠겨 있던 소화가 불쑥 입을 열었다.

"저는 들어갈게요."

일순 객청 탁자에 둘러앉아 있던 모든 이들이 그녀를 돌아보았다. 이목이 자신에게 집중되자 소화는 살짝 얼굴을 붉히면서 말을 이었다.

"어차피 애를 낳을 때 산파도 제 모든 곳을 보잖아요? 그렇게 생각하면 크게 부끄러울 것도 없을 것 같아요. 무엇보다 아주 짧은 순간의 부끄러움만 참아 낸다면, 세상에 둘도 없는 보물을 얻을 수가 있잖아요? 한 줌도 안 되는 부끄러움 때문에 그 기회를 놓치고 싶지는 않아요."

강만리는 문득 소화가 두 다리를 활짝 벌린 채 애를 낳는 장면을 떠올리고는 황급히 고개를 저었다. 그러고는 연신 고개를 끄덕이며 말했다.

"아주 잘 생각하셨습니다, 둘째 형수."

소화의 이야기에 여인들의 표정이 사뭇 달라졌다. 그리고 그녀들 중 제일 먼저 마음을 바꾼 이는 당혜혜였다.

"그러네요. 소화 언니 말씀대로 확실히 산파에게는 다 보여 주지만 그걸 부끄럽다고 생각하는 사람은 아무도 없잖아요? 좋아요. 저도 들어가겠어요."

그러자 이번에는 나찰염요가 고개를 끄덕이며 말을 이

었다.

"하기는 그렇지. 이 늙은 몸뚱어리 좀 보여 준다고 해서 달라질 게 없으니까."

가만히 듣고 있던 담우천이 불쑥 말했다.

"전혀 늙지 않았소, 당신은."

"어머나, 고마워라."

나찰염요가 배시시 웃었다. 담우천은 괜한 말을 했나 싶은 표정을 지으며 고개를 돌렸다.

예예와 정소흔은 서로 눈치를 살피다가 거의 동시에 "휴." 하고 한숨을 내쉬면서 고개를 끄덕였다.

"다들 잘 생각하셨습니다."

강만리는 손뼉을 한 번 치며 말했다.

"그럼 모든 분들이 다 보고에 들어가신다고 하셨으니 유의할 점을 설명해 드리겠습니다."

보고에 들어가서 가지고 나올 수 있는 물건은 오직 하나뿐이었다. 그 안에서 고민하고 선택할 수 있는 시간은 오직 한 시진뿐, 그 안에 어느 걸 챙길지 결정을 내려야 했다.

또한 어느 보고든 한 번 들어가면 그걸로 끝이었다. 가령 진고에 들어갔다가 가져올 게 없다고 해서 다시 무고로 들어갈 수도 없었다. 즉, 들어가기 전부터 무엇을 선택할지 신중하게 생각하고 결정해야 했다.

태생이 강호 무림인이니만큼 화평장 식구들은 두 사람을 제외하고는 모두 무고에 들어가기로 했다.

"이 나이에 새로 무공을 익힐 것도 아니고."

만해거사는 덤덤한 어조로 말했다.

"서고에 있는 의서 중에서 초 늙은이를 살릴 방도가 적힌 책이 있는지 찾아보겠네."

그건 구자육도 마찬가지였다.

"만해 어르신 혼자 그 많은 책자를 다 뒤져 볼 수 없을 테니까 저도 함께 가겠습니다."

사람들은 숙연한 표정으로 그들의 이야기를 들었다.

아무리 의생이라 한들 자신의 이익과 욕망, 영달보다는 타인의 목숨을 살리는 걸 우선한다는 건 솔직히 쉬운 결심이 아니었다.

화평장 식구들이 그들의 결심에 감탄과 존경 어린 표정을 짓는 와중에 문득 당혜혜가 그들을 향해 말했다.

"혹시 필요한 영약이나 환단 같은 게 있으면 말씀해 주세요. 무고에 있을지도 모르니까요."

만해거사가 웃으며 고개를 가로저었다.

"아니오. 약은 태의원의 것들로 차고 넘치오. 그러니 굳이 우리는 신경 쓰지 않아도 되오."

당혜혜는 가만히 만해거사를 바라보다가 고개를 숙였다.

"알겠습니다. 그럼 제가 필요한 걸 찾기로 하죠."

사람들은 곧 어떤 물건을 가지고 나오는 게 가장 좋을까 의견을 나누기 시작했다.

무고에는 상승 무공이 적힌 비급과 쇠를 단번에 자르는 신병이기, 내공을 높여 주는 영단과 비약 등이 구역별로 나뉘어 있었다.

황궁무고에 들어간 경험이 있는 강만리가 세세하게 설명했다.

"들어가서 첫 번째 구역에는 무기들이 보관되어 있습니다. 검과 칼은 물론 암기들까지 종류별로 각각 수백 개씩 전시되어 있죠. 눈에 확 띄는 물건도 있고 전혀 그렇지 않은 것들도 있습니다만, 어쨌든 수천 개의 무기가 빼곡하게 들어차 있으니 신중히 살펴보지 않고 선택했다간 나중에 후회하게 될 수도 있습니다."

두 번째 구역에는 수많은 비급이 수십 개의 서가(書架)에 가득 꽂혀 있었다.

무기와 달리 비급은 종류별로 꽂혀 있는 게 아니라 명칭의 순서대로 정리가 되어 있었다.

그러니까 정파의 무공끼리, 사파의 무공끼리 분류되어 있지 않아 원하는 책자의 명칭을 알고 있다면 모르되 그렇지 않으면 꽤 고생할 수 있었다.

"세 번째 구역에는 세상에 존재하는 모든 영약과 환단

들이 구비되어 있습니다. 소림의 대환단과 무당의 태청신단은 물론, 천년하수오나 만년설삼 같은 것들도 있었습니다. 만약 내공 증진이 필요하다면 그보다 좋은 곳이 없을 겁니다."

사람들은 저도 모르게 군침을 꿀꺽 삼켰다. 강만리의 이야기를 듣는 동안 온갖 보물과 신병이기가 그들의 눈앞 가득 펼쳐졌던 것이다.

"그나저나 나야 운이 좋아 아슬아슬하게 합류하기는 했지만 채석장에 있는 사람들은 정말 안 됐네요."

설벽린이 피식 웃으며 말했다.

"고 방주나 헌원 노대 모두 자신들이 황궁보고에 들어가지 못했다는 사실을 알게 된다면 그야말로 눈물을 흘리고 땅을 치며 안타까워할 것 같네요."

"어쩔 수 없지."

강만리는 엉덩이를 긁적이며 말했다.

"그게 그들의 운이니까 말이지. 인연이 닿지 않은 게야."

그러자 구석진 자리에 앉아 있던 정유가 희미하게 웃으며 말했다.

"그런 의미에서 보자면 저도 황송한 운에다가 과분한 인연이군요."

그는 머쓱한 표정으로 말을 이었다.

"사실 따지고 보면 저는 아무것도 하지 않았으니까요."

"그럼 들어가지 않아도 돼. 정 마음에 걸리면."

강만리가 무덤덤하게 말하자 정유는 황급히 손사래를 치며 고개를 저었다.

"아닙니다. 굳이 그럴 필요는 없을 것 같습니다."

"그러면 그런 말을 하지도 말아야지. 네가 아무것도 하지 않았다고 한다면 다른 사람들은 뭐가 되냐고? 가령 우리 마누라나 아니면 담호나 초목아나 모두 자네보다 한 일이 없는데 말이지."

예예가 사람들 모르게 강만리에게 눈을 흘길 때였다. 문이 열리고 조심스레 담호와 초목아가 들어섰다.

"부르셨어요?"

약당에서 만해거사와 구자육의 일을 돕다가 강만리에게 불려 객청으로 온 그들이었다.

"아, 그래. 마침 잘 왔다. 너희들은 한 일이 없다니 과분한 운이라니 하고 징징거리기 없기다?"

"네?"

담호와 초목아는 무슨 말인지 몰라 눈을 동그랗게 뜨며 고개를 갸웃거렸다.

"형님도 참."

정유가 콧잔등을 찌푸렸다. 강만리는 웃으며 말했다.

"아니다. 그러니까 너희들도 황궁보고에 들어갈 수 있게 되었다는 말이다."

"정말요?"

"와아! 정말 기대하지 않았는데. 잘됐다."

담호와 초목아는 서로를 돌아보며 진심으로 기뻐했다. 초목아는 기쁨에 겨워 폴짝폴짝 뛰다가 저도 모르게 담호를 와락 껴안았다.

하지만 그녀는 이내 자신의 실수를 깨닫고 얼른 담호를 밀어냈다. 담호의 얼굴이 붉어졌고, 사람들은 잔잔한 미소를 머금은 채 그 풋풋한 모습을 지켜보았다.

3. 화평장 식구

강만리는 담호와 초목아에게도 황궁보고에 대해 간략하게 설명한 후 조언해 주었다.

"담호 너라면 세 번째 구역에서 찾는 게 좋을 것 같구나. 네게 부족한 건 무엇보다 내공이니까 말이지. 공청석유(空清石乳) 같은 게 있다면 꼭 챙겨라."

"알겠습니다."

담호는 눈빛을 반짝이며 고개를 끄덕였다. 그러자 담호의 곁에 앉아 있던 초목아가 당돌하게 물었다.

"저는요?"

"응?"

강만리는 가볍게 눈살을 찌푸리고 잠시 생각하다가 고개를 갸웃거리며 입을 열었다.

"글쎄다. 이제 갓 무공을 배우기 시작했으니 네게 맞는 무공을 찾는 것도 나쁘지 않을 것 같고, 아무래도 무위가 떨어지니 단번에 효과를 볼 수 있는 무기를 선택하는 것도 괜찮을 것 같구나. 흠, 훗날을 위해서 영약이나 환단을 챙기는 것도 나름대로 타당할 것 같기는 하다. 흐음, 그것참 곤란하구나. 다 필요한 것들뿐이니 말이다."

그렇게 혼잣말처럼 중얼거리던 강만리는 문득 초목아가 어색하게 웃고 있는 모습을 보았다. 어쩌면 자신에게는 너무 과분한 인연이 아닐까, 걱정하고 두려워하고 부끄러워하는 듯한 웃음이었다.

그런 초목아의 기죽은 듯한 미소를 본 강만리는 자세를 바로잡고 정색한 다음 진지한 얼굴로 그녀를 바라보며 입을 열었다.

"물유각주(物有各主)라고 하지. 모든 물건에는 저마다의 주인이 있다는 말이다."

초목아의 귀가 쫑긋거렸다. 강만리의 말은 계속해서 이어졌다.

"만약 논리적인 생각으로 선택하기가 어렵다면 네 감정에 맡기는 것도 나쁘지 않을 것이야. 네게 진실로 필요한 물건이라면, 애초부터 네가 주인이라고 정해진 물건이라면 이런저런 것들을 따지지 않더라도 단번에 알아차릴 수 있을 테니까."

초목아 들으라고 한 소리였지만, 다른 사람들도 그 말을 듣고 뭔가 깨달은 바가 있는 듯 모두 신중하고 진지한 표정으로 곰곰이 생각했다.

한편 강만리는 초목아를 향해 문득 미소를 지으며 부드러운 어조로 말했다.

"누구에게나 햇병아리 시절은 있기 마련이다. 처음 무공을 배우면서부터 곧바로 상승 고수가 된 사람은 천하에 단 한 명도 없지. 그러니 당당해도 좋아. 무엇보다 너는 초 노야의 유일한 제자이자, 우리 화평장의 식구이니까 말이다."

초목아의 얼굴에서 어색한 미소가 사라졌다. 왠지 모르게 주눅 들어 있는 듯한 표정도 사라졌다.

그녀는 두 눈을 반짝이며 대답했다.

"꼭 명심할게요."

"좋아."

강만리는 초목아의 어깨를 가볍게 토닥여 주고는 정유를 돌아보며 입을 열었다.

"그럼 네가 일거리를 주지. 나와 함께 가서 끝내야 할 일이 있다."

"아, 진짜. 그렇게 꼬투리 잡으실 겁니까?"

정유가 투덜거렸지만 강만리는 모른 척하면서 화군악과 장예추를 돌아보며 물었다.

"둘 중 누가 더 일을 하지 않았냐?"

* * *

객청을 나와 약당으로 향하는 도중, 화군악이 궁금하다는 표정을 지으며 물었다.

"그나저나 왜 조용할까요?"

밑도 끝도 없는 질문이었지만 강만리는 이해했다는 듯이 차분한 어조로 대꾸했다.

"그야 장례식 준비로 황후가 바쁠 테니까. 그리고 손제독태감은 소진서의 처리 문제도 경황이 없을 테고."

"흠, 그렇기는 하겠네요."

강만리의 대답이 그럴듯했는지 화군악은 고개를 끄덕였다.

사실 태자비의 장례 준비는 외명부에서 주관하는데, 외명부의 최고 책임자는 황제의 손윗사람, 그러니까 황제의 고모가 맡고 있었다.

그러니 황후가 특별히 바쁠 이유는 없었지만, 외명부 등 황궁 내부 사항에 박식하지 않은 강만리가 거기까지 헤아릴 수는 없었다.

강만리, 화군악과 함께 보폭을 맞춰서 마당을 가로지르던 장예추가 문득 입을 열었다.

"태자 전하께서는 괜찮으신 것 같습니까?"

"몸? 아니면 마음?"

강만리가 역으로 질문하자 장예추는 당연하다는 듯이 대꾸했다.

"둘 다 말입니다."

"몸이야 건강을 거의 회복했지만 여전히 수척하고 초췌하시더군. 아무래도 마음고생이 심하셨을 테니까. 하지만 눈빛이 맑고 형형한 걸 보건대 역시 심지가 굳으신 분이더라. 나 같으면 아마 한 달 내내 끙끙 앓았을 텐데 말이지."

하기야 어느 사내가, 자신의 마누라가 저질러 왔던 불륜을 눈앞에서 확인하고 마음 편하게 지낼 수 있겠는가. 더군다나 서로를 사랑하고 신뢰하고 행복하다고 굳게 믿고 있었던 상황에서 말이다.

"저는 아직 혼인하지 않아서 잘 모르겠지만 확실히 상심이 클 것 같습니다."

정유의 말에 강만리는 약당으로 들어서며 고개를 끄덕였다.

"그렇지. 마음 약한 사람은 폐인이 될 정도의 상심일 게야."

약당에 들어선 네 사람은 구자육과 만해거사가 일하는 곳이 아닌, 반대쪽 복도를 따라 구석진 방을 찾았다.

강만리는 목소리를 가다듬은 후 묵직한 어조로 말했다.

"들어가도 괜찮겠습니까?"

안에서 희미한 목소리가 들려왔다.

"상관없네."

강만리는 문을 열고 방으로 들어갔다.

두꺼운 암막으로 가려진 창은 빛 한 점 들어오지 않아서 한낮임에도 불구하고 실내는 한밤중처럼 어두웠다.

"얼른 문을 닫게."

방 한쪽에 마련된 침상에 누워 있던 자가 고개를 돌리며 말했다. 마지막으로 들어서던 정유가 황급히 문을 닫았다.

"미안하네. 아직도 빛이 익숙해지지 않아서."

침상에 누워 있던 자가 힘없는 목소리로 말했다. 하지만 강만리는 그렇게 생각하지 않는 듯했다.

"많이 좋아지셨습니다. 목소리에 힘이 실린 걸 보니 말입니다."

강만리의 말에 침상에 누워 있던 자가 천천히 고개를 끄덕이며 말을 받았다.

"확실히 좋아졌네. 역시 바깥공기가 좋기는 좋은가 보더군. 아, 그 만해라는 늙은이와 구 씨 청년의 도움도 컸네."

"다행입니다."

강만리는 침상 가까이 다가가서 노인, 그러니까 수년 동안 저 지하광장 깊숙한 곳에 갇혀 있던 양옹을 내려다보며 말했다.

"태자 전하께서 폐하께 진언하셨고 폐하께서 허락하셨다고 합니다. 장례가 끝나는 대로 양 나리를 한번 만나겠다고 말입니다."

"아아……."

양옹은 쭈글쭈글한 두 손으로 얼굴을 가렸다. 강만리는 가만히 그를 내려다보다가 입을 열었다.

"하지만 양 나리께서는 아직 해야 할 일이 있으니까요. 누구와는 달리 말입니다."

"허험."

강만리의 등 뒤에서 정유의 헛기침이 들려왔다. 양옹은 뼈만 남은 손으로 얼굴을 가린 채 물었다.

"오늘 찾아가는 게냐?"

"그렇습니다. 유시가 되려면 아직 시간이 제법 남았거든요."

"유시?"

"아, 그런 게 있습니다. 어쨌든 일이 끝나면 폐하와의 알현이 있을 때까지 이곳에서 푹 쉬시면 됩니다. 제가 폐하나 전하께 양 나리의 출감(出監)을 부탁드려 보겠습니다."

"그럴 것까지는 없네."

양옹은 북받치던 감정을 추스른 듯 이내 차분하고 냉랭한 목소리로 말했다.

"폐하를 뵙고 직접 사죄드리는 것으로 내 마지막 해야 할 일은 끝나는 거니까. 더는 살아 있을 필요가 없지."

강만리는 한마디 하려다가 입을 다물었다. 양옹이 계속해서 말을 이었다.

"얼른 움직여야 하지 않겠나? 주어진 시간이 유시까지라면, 그리 넉넉하지는 않을 것 같은데."

9장.

선택(選擇)

더 이상 욕심부릴 것도, 애타게 찾을 것도 없어 보였는데
사람의 욕심이란 끝이 없는 모양이었다.
"내공을 증진시켜 줄 약 중에서 고를 생각이네."
담우천의 대답에 강만리의 눈이 휘둥그레졌다.

1. 추탈(追奪)의 벌

"그럼 편히 쉬다 갑니다."

청년의 상쾌한 목소리에도 뚱보 주인장의 무뚝뚝한 표정은 변하지 않았다.

"덕분에 돈 좀 벌었네."

뚱보 주인장은 내다보지도 않은 채 그렇게 말했다.

"다음에도 놀러 와 큰돈 써 주게나."

"그러겠습니다."

청년은 문을 닫았다.

세찬 바람이 휘몰아쳤다. 흙먼지가 파도처럼 일었다. 청년을 비롯한 여섯 사람은 수건으로 입을 가리고 두건을 깊게 눌러썼다.

뜨거운 햇살 아래 저 드넓게 펼쳐진 황무지를 이동할 생각을 하니 벌써부터 기진맥진한다는 표정을 지으며 여인이 투덜거렸다.

"얄미워 죽겠네. 그동안 갖다 바친 돈이 얼만데 밖까지 나와 보지도 않고."

"그게 저 주인장의 매력이 아니겠더냐?"

청년은 슬쩍 하늘을 올려다보았다.

남쪽 하늘이 우중충한 걸로 보아가 돌아가는 도중에 한바탕 폭우와 마주칠 것 같았다. 조금은 발길을 서두르는 게 나을 듯싶었다.

"사실 뭐 이대로 패배한 채로 떠나는 건 왠지 분하니까."

청년은 남쪽으로 발길을 옮기며 입을 열었다.

"조금은 골탕을 먹여 볼까 하고 생각하던 참이다."

여인이 눈빛을 반짝이며 좋아했다.

"좋은 생각이에요. 이왕이면 큰 곤욕을 치렀으면 좋겠어요. 그렇다고 죽일 것까지는 없고요."

"흠, 우리가 죽이려 든다고 해서 죽을 사람이라면 내가 한 달 가까이나 공을 들였겠느냐? 그저 사소한 골탕거리인 게다. 게다가…… 내 친구들에게 보내는 환영의 인사이기도 하고."

청년은 두 명의 노인 중 월로라는 노인을 돌아보며 말

을 이었다.

"쪽지 하나를 배달할 곳이 생각났네."

"패응(覇鷹)을 대령하겠습니다."

노인은 정중하게 허리를 숙였다. 청년은 유쾌하게 웃으며 말했다.

"좋아. 패응이라면 하룻밤에 만 리는 날아갈 테니 늦어도 내일이면 내 전갈이 그들에게 전해지겠지."

청년의 웃음이 사그라질 즈음 여인이 청년 곁에서 쫑알거리기 시작했다.

"우리도 말을 구해요, 이제. 언제까지 걸어 다니실 건데요? 아, 마차도 좋겠네요. 왜 굳이 사서 고생을 하시는 건데요? 네에? 제발요. 종아리가 이렇게 톡 튀어나와서 각선미를 버린다니까요?"

여인의 목소리는 황무지의 바람에 휘말려 점점 들리지 않게 되었다.

뚱보 주인장은 탁자를 훔치다 말고 가만히 지켜 서서 귀를 쫑긋거리고 있다가, 마침내 그들의 음성이 전혀 들리지 않게 되자 길게 한숨을 내쉬었다.

"골탕이라……."

* * *

아닌 게 아니라 동창의 제독태감 손유섭은 정신없이 바빴다.

좌첩형 소진서가 죽은 것이다. 대외적으로는 암습을 당한 태자비를 지키려다가 목숨을 잃은 것으로 발표되었지만, 그리고 황궁과 동창의 대부분 사람도 그렇게 알고 있었지만 손유섭만큼은 진상을 알고 있었다.

태자비가 죽은 바로 그날 주완룡에게 불려 가서 모든 사실을 전해 들었을 때, 손유섭은 심장마비가 걸릴 뻔했다. 세상에, 감히 태자비와 불륜을 저지른 데다가 태자와 태자비가 있는 자리에서 살수를 펼치다니!

손유섭은 피가 날 정도로 세게 대전 바닥에 이마를 찧었다. 수하를 제대로 관리 감독하지 못한 죄는 실로 컸다. 저 양웅도 수하를 관리 감독하지 못한 죄로 인하여 북진무사의 조옥에 갇혀 수년간 햇빛조차 보지 못하고 있지 않은가.

주완룡은 무심한 어조로 말했다.

"태자비의 명예가 걸린 일이기에 대외적으로는 그녀가 암습을 당했고, 소진서와 지천경은 그 암습을 막는 과정에서 목숨을 잃었다고 발표할 것이다. 하지만 자네는 모든 진상을 다 알고 있어야 하기에 이리 부른 것이다."

"죽여 주시옵소서!"

손유섭이 할 수 있는 말은 오로지 그뿐이었다.

"물론 마음 같아서는 자네 또한 책임을 물어 벌을 내리고 싶다. 하지만 대외적으로 옳은 일을 한 소진서의 상관에게 외려 벌을 준다는 건 역시 아무래도 사람들의 눈에 이상하게 보일 터, 따라서 그 죄는 묻지 않을 것이다."

주완룡은 서늘한 눈빛으로 손유섭을 지켜보며 말을 이었다.

"하나 앞으로 어떤 잘못을 저지르든, 혹은 아주 사소한 실수 하나만 하더라도 자네의 뒤에 누가 있든 상관없이 반드시 그 죄를 물을 것이다. 알겠느냐?"

대전 바닥에 바짝 엎드려 있던 손유섭의 등골을 타고 소름이 쫙 일었다.

'전하께서는 황후 마마와의 일을 알고 계시는구나!'

손유섭의 뇌리에 그런 생각이 번개처럼 작렬했다. 주완룡이 거듭 물었다.

"왜 대답을 하지 못하느냐?"

손유섭은 정신을 차리고 서둘러 대답했다.

"전하의 은혜에 몸 둘 바를 모르겠습니다. 두 번 다시 이런 일이 없도록 만전을 기하겠습니다."

그게 이틀 전의 일이었다.

그리고 이틀 동안 손유섭은 조정에 올릴 보고서를 작성하는 한편, 소진서와 지천경의 사후 처리에 대해 골머리를 썩어야 했다.

대외적으로는 상을 주어야 했지만 진실을 알고 있는 이상 감히 그럴 수는 없었다.

결국 손유섭은 암습을 미연에 방지하지 못한 죄, 암습을 막고 태자비를 살리지 못한 죄를 적용하여 사후 관직을 한 단계 낮추는 추탈(追奪)의 벌을 내리고자 했다.

물론 그 와중에 소씨 가문의 반발이 있기는 하겠지만, 손유섭은 자신의 결정이 현 상황에서 최선이라고 생각하면서 보고서들을 정리하는 중이었다.

그의 삼 층 집무실 밖에서 수하의 목소리가 들려왔다.

"손님이 찾아오셨습니다."

손유섭은 눈살을 찌푸리며 대꾸했다.

"나중에 오라 해라."

"그게 그러니까……."

밖의 목소리는 잠시 망설이는 듯하다가 다시 들려왔다.

"전대 제독태감 양웅 나리와 태자밀위 네 분이십니다."

"음?"

손유섭은 뜻밖의 이름에 깜짝 놀라 저도 모르게 움찔거렸다.

그 바람에 쥐고 있던 세필(細筆)이 흔들렸고, 적어 내려가던 보고서가 엉망이 되었다.

손유섭은 다시 처음부터 써야 하는 보고서를 내려다보면서 한숨을 내쉰 다음, 세필을 내려놓았다.

'조옥에 갇혀 있어야 할 양옹 선배가 어떻게?'

머릿속이 복잡해졌다.

안 그래도 어제오늘 너무 큰 충격에 정신을 차릴 수가 없었는데 거기에다가 조옥에 갇혀 있을 양옹이 찾아왔다는 게다. 그것도 황태자 주완룡의 밀위들과 함께.

'밀위라고는 하지만 역시 강만리라는 자들이겠지. 양옹을 감옥에 갇히게 만든 장본인, 그리고 이번 소진서 사건을 해결한 자…….'

손유섭은 잠시 강만리라는 자에 대해서 생각하다가 천천히 입을 열었다.

"들어오시라고 해라."

문이 열리고 들것에 실린 늙은이와 들것을 나르는 네 명의 사내가 함께 들어섰다. 바로 강만리와 정유, 화군악과 장예추였다.

손유섭은 자리에 앉은 채 그 늙은이를 지켜보다가 저도 모르게 벌떡 일어났다.

확실히 그 병색 완연하고 뼈만 앙상한 노인은 전대 제독태감이자 손유섭의 직속 선배였던 양옹이었다.

"그동안 별래무양(別來無恙)하셨습니까, 양 선배."

손유섭은 반사적으로 그렇게 말하면서도 '아, 이건 아

닌데.' 하는 생각에 절로 멋쩍은 표정을 짓고 말았다.

양옹의 들것은 집무실 한쪽 구석에 마련된 탁자 옆에 내려졌다. 강만리와 함께 들어온 자들이 들것을 만지작거리자 들것은 이내 의자의 모양으로 변환되었다.

양옹은 들것에 앉은 채 손유섭을 쳐다보며 빙긋 웃었다.

"어떤가? 별래무양한 것으로 보이나?"

손유섭은 황급히 탁자 앞으로 걸어 나와 허리를 숙이며 말했다.

"죄송합니다. 워낙 황망해서 말이 헛 나온 모양입니다."

"아닐세. 사실 잘 지내고 있네. 오래간만에 쬐는 햇빛에도 이제 어느 정도 적응이 되었고."

"아! 창렴(窓簾)을 칠까요?"

"괜찮네. 차나 한잔 내오게."

"아, 네. 선배는 설록향(雪鹿香)을 좋아하셨죠? 참, 앵속(罌粟)으로 만든 연초(煙草)는 어떻습니까?"

일순 양옹의 희미하던 눈빛이 반짝였다.

"허허. 아직도 내 취향을 기억하고 있군그래."

"물론이지요. 제가 어디 한두 해 모셨습니까?"

손유섭은 강만리들에게 자리를 권유하는 것도 잊은 채 서둘러 밖으로 달려 나가 수하들에게 지시를 내렸다.

"설록향 한 주전자와 앵속으로 만든 연초, 그리고 장죽(長竹)을 대령해라. 가장 품질 좋은 것들로 말이다."

문밖에서 들려오는 소리를 들으며 강만리는 쓴웃음을 흘렸다.

"조옥에서 하신 말씀이 틀리지 않았군요. 양 나리라면 꼼짝하지 못할 거라고 하셨던."

"물론이지."

양옹은 눈을 가늘게 뜨며 말했다.

"저 녀석, 처음 궁에 들어왔을 때부터 내가 옆에 끼고 다 가르쳐 주었으니까."

거세하고 처음 궁궐에 들어서는 어린 환관은 선배 환관과 짝을 지어 생활하게 된다. 소환관은 선배 환관의 수발을 들고, 선배는 어린 환관에게 궁중 내의 업무와 지켜야 할 수칙 등에 대해서 가르친다.

물론 그 과정 중에는 남색도 빈번히 일어나, 귀엽고 계집처럼 생긴 소환관을 두고 선배 혹은 노환관들이 쟁탈전을 벌이는 경우도 왕왕 있었다.

과거 손유섭은 양옹의 수발을 드는 어린 환관이었으며, 양옹은 그 손유섭을 옆에 끼고서 하나부터 열까지 환관의 모든 업무를 일일이 가르쳤다.

이윽고 손유섭이 한 명의 환관 노릇을 하게 되면서 새로운 부서로 배치를 받아 헤어지게 되었지만 그래 봤자 궁내였다. 만나려면 얼마든지 만날 수 있었다.

양옹은 성공가도를 달리는 동안 자신이 끔찍하게 아꼈던 손유섭을 이끌어 주었다. 손유섭이 사례감에 들어간 것도 모두 양옹 덕분이었고, 심지어 황후의 수발을 들게 된 것 역시 양옹의 추천 덕분이었다.

그러니 손유섭에게 있어서 양옹은 선배이자 부친이자 하늘과 같은 존재였다.

2. 자네 몫이지

"아아, 정말 좋구나."

양옹은 장죽을 힘껏 빤 후 길게 연기를 들이 내쉬며 지그시 눈을 감았다.

연초는 그가 조옥에 있는 동안 그렇게 그리웠던 것 중 하나였다.

하지만 너무 오래간만인지 무려 십여 차례나 기침을 한 후에야 비로소 속에서 앵속의 연기를 받아들일 수 있었다. 머리가 핑 돌고 기분이 좋아졌다. 눈을 감으면 구름 위를 나는 듯한 기분이 들었다.

이게 천당이 아니고 무엇이겠는가.

그렇게 서너 번 연기를 뿜어낸 후, 양옹은 천천히 눈을 뜨며 말했다.

"황후는 안녕하시더냐?"

손유섭은 뜨끔했지만 전혀 내색하지 않고 대답했다.

"네. 건강하십니다, 여전히."

"흠, 너무 건강해도 탈일 때가 있지."

양옹은 마치 모든 사실을 다 알고 있다는 듯 의뭉스러운 눈빛으로 손유섭을 쳐다보며 말을 이었다.

"내가 늘 말하지 않았더냐? 환관은 줄을 잘 서야 한다고 말이다. 어느 줄을 붙잡고 늘어지느냐에 따라서 목숨이 왔다 갔다 한다고 말이지."

"명심하고 있습니다."

"그런데 왜 아직도 황후의 줄을 놓지 않고 있더냐?"

"그, 그야…… 워낙 마마께 큰 도움을 받았던 터라……."

"너는 너무 정이 많아서 탈이다."

양옹은 혀를 한 번 찬 다음 다시 장죽을 힘껏 빨고는 황홀한 표정을 지었다. 반면 강만리들은 양옹이 내뱉는 연기의 매캐하고 독한 냄새에 절로 인상을 찌푸렸다.

"아직도 마마를 연모하느냐?"

양옹이 불쑥 묻자 손유섭은 화들짝 놀라 황급히 고개를 저었다.

"무슨 그런 무서운 말씀을 하십니까?"

"허허. 나야 너에 대해서 모든 걸 다 알고 있지 않더냐? 처음 네 머리를 올려 준 사람이 누구였는지, 네 첫사랑이 누구였는지, 그리고 어떤 음식을 좋아하고 싫어하는지도 다 알고 있는 내가 아니더냐? 그런 내 앞에서 거짓말을 해 봤자 아무 소용이 없단다, 홍안자(紅顔子)야."

사십여 년 전의 별명으로 불린 손유섭의 얼굴이 살짝 붉어졌다.

부끄럼을 잘 타고 시도 때도 없이 얼굴을 붉힌다고 해서 그에게 붙여진, 심지어 황후조차 알고 있을 정도로 유명한 별명이었다.

양옹은 다시 한번 장죽을 빨아 연기를 폐 속 깊이 집어삼켰다가 천천히 내뱉으며 말했다.

"또한 네가 황후 마마의 귀한 곳을 봤던 것도 잘 알고 있지. 아마도 네가 황후를 연모하게 된 게 바로 그때 아니었더냐?"

손유섭은 입술을 깨물었다.

어린 환관이 여인의 벌거벗은 아랫도리를 처음 보았으니, 그것도 평범한 여인이 아니라 황제의 부인이 될 사람의 아랫도리를 보았으니 얼마나 벅차고 황홀했을까.

동네방네 떠들며 다니고 싶은 마음을 억지로 참고 오직 양옹에게만 그 은밀한 비밀을 털어놓았던, 그때 그날 밤의 기억이 손유섭의 뇌리에 떠올랐다.

'바보 같으니. 왜 그런 말을 해 가지고…….'

손유섭이 사십 년이나 지나 후회할 때였다. 양옹이 장죽의 재를 털며 입을 열었다.

"줄을 바꾸도록 해라. 지금 가장 단단하고 굵은 줄은 황태자의 줄이다. 그 줄만 꽉 잡고 있으면 네 목숨은 물론 미래까지 보장받을 수 있을 게다."

손유섭은 입술을 깨물었다. 잠시 고민하던 그는 솔직하게 제 속내를 털어놓았다.

"하지만 마마께서 어지간히 완강하셔야죠. 안 그래도 며칠 전 불려 가서 크게 혼이 났습니다."

"허허. 그래 봤자 이제는 뒷방 할미에 불과하다. 이번 상복 논쟁에서 어느 쪽이 승리했더냐?"

"그, 그야……."

"당연히 황태자를 모시는 대신들이 이겼고, 앞으로도 쭉 그러할 것이다. 그런데 지금 너는 황태자가 끔찍하게 아끼는 자들을 죽이려 하는 게다. 그 미래가 훤히 보이지 않느냐?"

보였다. 그래서 손유섭도 지금껏 망설이고 있었다.

황후의 지엄한 재촉을 받으면서도 아직 동창이나 금의위 등의 무사들을 동원하여 강만리들을 암습하지 않은 이유가 바로 거기에 있었으니까.

손유섭이 자신의 그런 상황을 사실대로 말하자 강만리가 문득 고개를 갸웃거리며 끼어들었다.

"하지만 이틀 전에 환관의 복장을 한 자에게 암습을 받았습니다만."

손유섭의 눈이 휘둥그레졌다.

"아니외다. 나는 그런 일을 지시한 적이 없소이다."

"흐음, 그럼 누구 짓이지?"

강만리가 고개를 갸웃거릴 때, 화군악이 눈빛을 반짝이며 입을 열었다.

"은자림의 살수였잖아요? 아무래도 금해가나 건곤가 측에서 청부한 모양입니다."

"그럴 수도 있겠군. 이것 참."

강만리는 무의식적으로 엉덩이를 긁으며 난감한 표정을 지었다. 화군악이 피식 웃으며 말했다.

"워낙 많은 죄를 지신 겁니다. 모든 사람이 형님을 노리는 걸 보면 말입니다."

"허험."

강만리는 헛기침을 하며 화제를 돌렸다.

"어쨌든 이삼 일 후면 우리는 이곳 황궁에서 나갈 겁니다. 그때까지만이라도 귀찮은 일이 없었으면 좋겠군요. 황궁을 나선 후의 암습이라면 얼마든지 상대할 수 있으니까요."

황궁 내에서 살인 사건이 일어나는 건 자칫 커다란 문제를 초래할 수가 있었다.

어쩌면 황태자 주완룡에게 피해가 갈 수도 있었다. 강만리는 주완룡의 손님이고, 그 손님이 저지른 행동은 모두 주완룡의 책임이 될 수 있으니까.

강만리가 굳이 조옥에서 양옹을 끌어내어 이렇게 손유섭과 얼굴을 맞대고 대화를 나누게 한 건, 바로 주완룡에게 폐를 끼치지 않기 위함이었다.

황후는 삼황자 주건의 모친이자 주완룡의 어머니였다. 그러니 아무리 주완룡이 강만리들을 아낀다 한들, 모친인 황후에게 함부로 이래라저래라 말을 할 수가 없었다.

즉, 괜히 주완룡이 강만리와 황후 사이에 끼어서 난처해지는 상황이 발생하지 않도록, 이렇게 손유섭을 회유하여 궁에서 빠져나갈 때까지의 시간을 벌고자 한 것이다.

황궁만 빠져나가면 얼마든지 죽여도 상관없었다. 주완룡에게 폐를 끼칠 것도 없었다.

강만리는 당당하게 말했다.

"궁만 벗어난다면 누가, 언제 암습해 와도 상관없습니다. 동창의 모든 병력을 이끌고 와도 괜찮습니다. 궁만 아니라면 말이죠."

그 오만하고도 위풍당당한 이야기에 손유섭은 저도 모르게 침을 꿀꺽 삼켰다.

과연 이자들에게 그만한 능력이 있느냐 하는 건 둘째 문제였다.

이자들은 당연히 그렇게 생각하고 있었다. 동창의 모든 이들이 한꺼번에 덤벼도 물리칠 수 있다는 자신감이, 강만리뿐만 아니라 그와 함께 온 동료들의 눈빛과 표정에서 흘러나오고 있었다.

"내가 알기로는 말일세."

양옹이 풀린 눈빛으로 장죽을 빨다가 입을 열었다.

"이 친구, 거짓말은 하지 않더라고."

손유섭은 망설이다가 결국 고개를 끄덕였다.

"알겠습니다. 사흘입니다. 사흘 동안은 어떻게든 마마의 분부를 미뤄 보겠습니다."

양옹이 고개를 끄덕였다.

"잘 생각했네."

'다행이다. 황후 건은 그나마 쉽게 해결한 것 같군. 무엇보다 더는 피를 보지 않게 되어서 천만다행이야.'

강만리는 그렇게 생각하며 두 손을 모았다.

"감사합니다, 손 창주. 사흘이면 충분합니다."

손유섭은 이마의 땀을 닦으며 말했다.

"그럼 이제 어떻게 마마의 진노를 가라앉히느냐 하는 고민만 남았군요."

양옹이 흘흘 웃으며 말했다.

"그야 자네 몫이지."

3. 첫 번째 구역

손유섭과의 대화를 마친 강만리 일행은 다시 양옹과 함께 동궁 구석진 곳에 있는 별채로 돌아왔다. 양옹을 약당의 거처에 두고 수혈을 짚은 다음, 별채 객청으로 들어섰을 때는 어느덧 유시에 가까워져 있었다.

여인들은 모두 황궁보고에 입장한 준비를 끝낸 채 객청에 모여 초조한 표정으로 강만리 일행을 기다리고 있었다.

"왜 이리 늦으셨어요? 어서 가죠."

예예를 비롯한 사람들의 닦달에 강만리는 앉아서 차 한 잔 마시지도 못하고 다시 객청을 나서야만 했다.

* * *

미리 연락을 받고 단단히 마음 준비를 하기는 했으나 이렇게 대규모의 인원은 확실히 처음 겪는 일이라 보고내감(寶庫內監)들은 사뭇 당황할 수밖에 없었다.

'어린아이 둘까지 해서 모두 열세 명이라니, 이렇게 많은 이가 한꺼번에 보고에 들어간 적이 있었던가?'

황궁보고 앞에서 기다리고 있던 여섯 명의 보고내감은 마른침을 꿀꺽 삼키며 강만리 일행을 맞이했다.

"어서 오십시오. 우리는 강 대협을 비롯한 여러분들을 안내할 보고내감입니다."

보고내감은 말 그대로 세 곳의 보고를 담당하는 환관들로, 모두 열두 명으로 구성되어 있었다.

그들은 이교대로 나뉘어 근무하는데 보통 두 사람이 한 조가 되어 한 곳의 보고를 정리하고 청소하는 등 관리 감독을 하였으며, 이렇게 황제의 윤허를 받아 보고에 들어서는 이들을 안내하고 감시하는 역할까지 맡고 있었다.

맡은 임무가 임무이니만큼 황제의 신임이 없는 한 함부로 보고내감이 될 수 없었으며, 십여 년 보고내감직을 훌륭히 수행하면 곧바로 사례감의 높은 직위로 영전할 기회가 주어진다.

열두 명 보고내감의 수좌는 허후정(許厚正)이라는 자로, 비번임에도 불구하고 특별히 이 손님들을 안내하기 위해 나와 있었다.

짧은 환영의 인사와 자신들의 소개를 마친 허후정은 곧 주의 사항과 앞으로의 일에 대해 간략하게 설명했다.

"이 문 안쪽으로 들어가시게 되면 세 창고로 이어지는 방들이 있습니다. 검색은 그 방에서 하게 되며, 환관과 여관들이 기다리고 있습니다."

허후정은 그렇게 말하며 보고의 거대한 문을 열었다.

강만리를 비롯한 화평장 식구들은 호기심 반, 설렘 반

의 표정을 감추지 못한 채 차례로 보고 안으로 들어섰다.

보고(寶庫)라 해서 일반적인 창고를 생각하면 안 된다. 말이 보물을 간수한 창고이지, 하나의 독립된 별채 형태를 지니고 있었다.

즉, 별채의 문을 열면 객청이 나오고 객청에서 세 개의 복도로 이어지는데, 그 복도마다 방처럼 구획된 공간이 있어서 그곳에 대기하던 환관과 여관들이 사람들의 옷과 몸을 수색했다.

그러니 강만리 일행은 그 객청에서 각각 원하는 보고에 따라 갈라지게 되었다. 물론 그들 대부분 무고를 선택했기에 그들과 헤어져 서고로 향한 이는 오직 두 사람, 만해거사와 구자육뿐이었다.

사람들은 줄을 맞춰 긴 복도를 따라 이동했다. 안내하던 내감들이 잠시 그들을 대기시켰다.

"먼저 남자분들부터 방으로 들어가시지요."

강만리를 시작으로 담우천, 화군악, 장예추, 정유, 그리고 담호까지 차례로 황궁무고의 전실(前室)이라 할 수 있는 방에 입장하자, 방에서 대기하고 있던 환관들이 세세하고 세밀하게 몸수색을 하기 시작했다.

"그럼 들어가시죠."

강만리들의 몸에 아무것도 없음을 확인한 후 내감의 안내에 따라 그들은 방의 한쪽 문을 열고 안으로 들어섰다.

바로 그곳이 황궁무고였다.

"와아!"

초목아는 저도 모르게 큰 소리로 감탄하다가 얼른 손을 들어 입을 막고 눈치를 살폈다.

하지만 사람들 모두 홀린 듯한 표정으로, 양쪽 벽에 전시되어 있는 병장기들을 구경하느라 미처 그녀의 탄성을 듣지 못한 듯했다.

초목아가 안도의 한숨을 쉴 때였다. 담호가 가까이 다가와 소곤거렸다.

"뭘 고를 거야, 누나는?"

초목아는 어깨를 으쓱거리며 대꾸했다.

"아직 따로 생각해 둔 건 없어. 하지만 강 아저씨 말대로 마음이 가는 걸 고를 생각이기는 해. 너도 강 아저씨 말대로 영단을 챙길 거야?"

"아마도."

담호는 신중한 얼굴로 말했다.

"우선은 그럴 작정이지만, 그래도 중간에 내 마음을 확 끄는 물건이 있다면 그걸 선택하려고. 왜, 물유각주라고 하셨잖아? 물건은 제 주인을 알아보는 법이니 내게 그 의지를 드러내겠지."

"나도 그럴 생각이야."

두 소년 소녀는 귀엣말을 나누듯 소곤거리면서 수천수만 점의 온갖 무기들이 빼곡하게 진열되어 있는 공간을 사이좋게 걸었다.

황궁무고의 첫 번째 구역, 이른바 병기고라 불리는 공간이었다. 십팔반(十八班) 무기는 물론 암기와 호신구(護身具) 등 없는 게 없었으며, 그 하나하나 모두 무림에 모습을 드러내면 강호에 혈풍(血風)을 몰고 올 정도의 신병이기들이었다.

“어머나, 저거 참 예쁘네.”

나찰염요와 함께 걷던 소화가 문득 눈빛을 반짝이며 걸음을 멈췄다. 나찰염요는 그녀가 바라보는 곳으로 시선을 돌리다가 이내 눈을 동그랗게 떴다.

온갖 갑옷과 호신구 사이에 마치 천상의 실로 짠 듯 아름답게 반짝이면서 새하얀 속옷, 설의(褻衣)가 있었다.

얇으면서도 튼튼해 보이는, 반소매 윗도리와 반바지 한 쌍으로 된 설의였는데, 그걸 본 나찰염요는 저도 모르게 입을 벌리며 탄성을 흘렸다.

“세상에, 백영천잠의(白瑛天蠶衣)라니!”

그녀의 들뜬 목소리에 여인들이 몰려들었다.

“뭐가요, 언니?”

“백영천잠의가 뭔데요?”

나름대로 강호의 밥을 먹고 살아온 예예나 당혜혜, 정소흔이었지만 백영천잠의라는 단어는 생경한 모양이었다.

나찰염요는 한 쌍의 설의에서 시선을 떼지 않은 채 입을 열었다.

"백영(白瑛)을 녹여서 천잠사(天蠶絲)에 덧씌웠다는 전설이 있을 정도로 아름다운 데다가, 천잠사로 만든 옷 중에서 가장 튼튼하고 질기고 강인한 방어력을 지닌 옷이야. 칼이나 병장기로부터 몸을 지키고 보호하는 데에는 어지간한 호신강기보다 저게 훨씬 더 나을걸?"

나찰염요의 설명을 듣던 소화의 눈빛이 다시 한번 반짝였다. 그녀는 이내 결심한 듯 고개를 크게 끄덕이며 말했다.

"좋아요. 저는 저 백영천잠의를 갖겠어요."

"그래?"

"네. 이제 와서 무공을 익히기도 어렵고, 또 무기를 가져 봤자 소용이 없을 것 같으니까요. 제가 사용하다가 나중에 보보나 다른 아이들에게 물려줘도 되고요."

"오호, 나쁘지 않은 생각이야. 그래, 괜찮겠네."

나찰염요는 가까운 곳에서 지켜보고 있던 내감을 돌아보며 말했다.

"저걸 갖고 싶다네요."

내감은 조심스레 장대를 사용하여, 벽 높은 곳에 걸려 있던 설의를 꺼내 소화에게 건넸다. 소화는 더없이 기쁜 표정을 지으며 소중하게 설의를 품 안에 안았다.
"좋겠네, 언니는."
"나도 저렇게 마음에 쏙 드는 게 있어야 하는데."
여인들이 쫑알거리며 다시 걷기 시작했다.
"둘째 형수는 벌써 선택한 모양입니다."
강만리의 말에 담우천이 고개를 끄덕이며 중얼거렸다.
"좋은 선택이다."
여인들과는 제법 거리가 떨어져 있었지만 그렇다고 그녀들의 대화를 엿듣지 못할 담우천이 아니었다.
강만리가 씨익 웃으며 물었다.
"그나저나 형님은 뭘 고르실 겁니까?"
담우천의 무공은 이미 천상(天上)의 경지에 올랐고, 무기 또한 전설의 거궐(巨闕), 황태자 주완룡이 직접 이 황궁무고에서 찾아내 강만리에게 선물했던 바로 그 검을 사용하고 있었다.
그러니 더 이상 욕심부릴 것도, 애타게 찾을 것도 없어 보였는데 사람의 욕심이란 끝이 없는 모양이었다.
"내공을 증진시켜 줄 약 중에서 고를 생각이네."
담우천의 대답에 강만리의 눈이 휘둥그레졌다.
"아직 내공이 부족하다 여기시는 겁니까?"
"그건 아니고……."
담우천은 머뭇거리다가 아주 낮은 목소리로 말했다.

"아호와 아창에게 줄까 해서 말이지."

"아……."

강만리는 그제야 담우천의 욕심이 어디로 향하고 있는지 알 수 있었다.

'이렇게 자식들을 끔찍하게 생각하면서 겉으로는 영 데면데면하시다니까.'

강만리는 속으로 웃으면서 입을 열었다.

"흠, 그렇군요. 그럼 저도 미래를 위해서 만년설삼 같은 걸 갖고 있어도 나쁘지 않을 듯합니다."

사실 강만리 역시 무얼 선택하느냐를 두고 깊은 고민을 하던 중이었다.

내공을 높이는 것도 나쁘지 않았다. 물론 그의 내공이 광대하다고는 하지만, 그래도 아직 금빛 광채가 번뜩이는 장력을 연달아 쏘아 내기에는 많이 부족했으니까.

무기를 바꾸는 것도 좋은 선택일 것이다. 지금 그는 헌원 노대가 만들어 준 야우린을 사용하고 있었는데, 무공이 늘고 내공이 높아지면서 왠지 부족하다는 느낌을 지울 수가 없었던 것이다.

상승 무공도 좋은 선택이었다. 십삼매를 통해서 적지 않은 무공을 익히기는 했지만, 그래도 그의 막강한 내공을 자유자재로 펼칠 수 있는 장공류(掌功類)의 무공이나 금강불괴(金剛不壞)와 같은 외문기공(外門氣功)이 절실

해지는 요즈음이었다.

'결국 마음이 가는 놈으로 집어야겠지.'

강만리는 그런 생각을 하면서 어슬렁거리며 병기고의 복도를 따라 걸었다.

10장.

출발(出發)

한 시진은 생각보다 훨씬 짧았다.
창고를 가득 메운 물건들은 생각보다 훨씬 많았다.
마지막 문을 나서면서 남는 후회와 아쉬움 또한 생각보다 훨씬 깊었다.

1. 전석회의(全席會議)

오대가문의 전체 회담은 이 년에 한 번씩 열리는 게 관례였다. 하지만 오대가문 중 세 가주의 동의가 있다면 언제든지 열릴 수 있는 게 전석회의(全席會議)이기도 했다.

금해가주 초일방이 발의하고 철목가와 무적가가 동의해서 긴급하게 열리는 이번 전석회의를 두고 사실 말이 없었던 건 아니었다.

어쨌든 철목가와 무적가에는 가주의 자리가 공석이었다. 비록 대리라고 해서 가주를 대신하여 전체 가문을 지휘하는 자가 있기는 했지만, 그들에게 전석회의를 개최할 자격이 있느냐를 두고 말이 나오는 건 당연한 일이었다.

"급하기는 급했던 모양이로군."

애당초 천예무는 그렇게 비웃었다.

황궁 연쇄살인 사건 이후 다른 가문들은 은근히 천예무를 따돌렸다. 심기 깊고 머리 회전 빠른 천예무가 그런 사실을 모를 리가 없었다.

그런데 이번에 초일방이 긴급 전석회의를 건곤가에서 열고 싶다고 부탁해 온 게다. 그것도 대리 두 명의 동의를 얻은 채로.

뻔했다.

천예무가 그토록 이를 갈던 대상들, 즉 장예추를 포함한 무림오적이라는 놈들에게 크게 한 대씩 얻어맞았기 때문이고 그 복수를 하기 위해 전석회의를 열고자 하는 것이리라.

"내가 그토록 힘을 모으자고 할 때는 들은 척도 하지 않더니…… 잘됐다."

천예무는 회담 자체를 거부하지 않았다. 회담을 거부하는 것보다는 다른 가주들의 면상을 향해 '싫은데?'라고 말하는 게 더 통쾌할 것 같았기 때문이었다.

건곤가에서의 오대가문 회담은 그렇게 결정되었고, 그 자리에서 천예무는 다른 가주들을 한껏 조롱하고 비웃을 작정이었다.

그러나 상황은 급변했다.

북경부에서 급전이 날아든 것이다. 황태자비에게 보낸 암영단 계집들이 제멋대로, 가주 천예무의 허락도 받지 않은 채로 비상시에 사용하라고 전해 주었던 독약들을 마음대로 사용했던 것이다.

물론 태자비가 강력하게 요구했겠지만 그걸 제대로 제어하고 관리하라고 보낸 수하들이었다. 그런데 제어는커녕 함부로 독약을 남발하다가 모두 목숨을 잃었다.

물론 공식적으로는 궁녀로 가장한 암살자들에게 의해 태자비와 신하 몇 명이 목숨을 잃었다고 발표했지만, 외려 그로 인해서 천예무는 더욱 궁지에 몰리게 되었다.

황궁과 조정은 궁녀로 가장한 암살자들의 배후를 잡는데 모든 노력을 아끼지 않을 것이다. 어쩌면 그녀들이 건곤가의 수하라는 사실 정도는 이미 알고 있을지도 몰랐다.

물론 천예무는 딱 잡아뗄 작정이었다. 그녀들은 건곤가에서 파문한 지 오래고, 그녀들이 황궁에서 난동을 피운 건 그저 옛 상관이었던 한조에 대한 복수를 하려 했던 것이라고 주장할 생각이었다.

즉, 이번 사건은 건곤가와는 아무런 상관이 없는 개인들의 복수심에 의해 일어난 불상사인 셈이었다는 게 천예무가 애써 궁리한 변명이었다.

더불어 천예무는 그동안 북경부를 오가면서 사귀어 둔

각 조정 대신들에게 수천 금의 뇌물을 주어, 자신과 건곤가의 변호를 부탁할 작정이었다.

'하지만 그 정도로는 부족하다.'

천예무는 입술을 깨물었다.

황태자 주완룡에게는 강만리와 장예추가 있었다. 강만리는 저 황궁 연쇄살인 사건을 해결했던, 머리 회전이 빠른 전직 포두였다. 그리고 장예추는 천예무의 아들 천휘수를 죽인 장본인이었다.

놈들은 끝까지 건곤가와 천예무를 노릴 것이었다. 어쩌면 백만 대군을 이끌고 건곤가를 덮칠지도 몰랐다.

아무리 건곤가가 무림의 거대 문파라지만 백만 대군을 상대하기에는 역부족일 수밖에 없었다.

그래서 천예무는 생각을 바꿨다.

한껏 조롱하고 비웃으려던 마음을 버리고 다른 사대가문과 다시 힘을 합치기로 결심한 것이다.

어쨌든 오대가문이 하나로 뭉치면, 아무리 백만 대군이라 할지라도 선뜻 선제공격을 하기는 힘들 테니까. 최소한 절반 이상의 병력을 포기할 각오가 아닌 이상에는 쉽게 덤벼들지 못할 테니까.

게다가 이 나라가 자랑하는 백만 대군의 수가 절반으로 줄어든다면, 호시탐탐 이 나라를 노리고 있는 변방 제국들의 위협에서 버티기 힘들 테니까.

'이런 걸 두고 천우신조(天佑神助)라 하는 건가? 때마침 오대가문의 전석회의가 열리다니.'

천예무는 그렇게 생각하며 대륙 각지에서 모여든 다른 가문의 사람들을 반갑게 맞이했다.

* * *

건곤가 내당 연못에 마련되어 있는 화려한 정자(亭子).

그곳에 미리 도착한 천왕가의 사양곤과 금해가의 초일방, 건곤가의 천예무는 가주의 대리 역할을 맡은 무적가의 삼숙 제갈천상과 철목가의 대부인을 반갑게 맞이했다.

천예무는 흥미로운 눈빛으로 제갈천상과 철목가의 정부인을 바라보았다.

'삼숙이야 예전부터 명망이 높았지만 정 부인이 나선 건 확실히 의외로군. 아니, 그녀의 옛 명성을 생각하면 의외가 아닐 수도 있겠네.'

철목가 정 부인의 처녀 때 성씨는 곽(郭), 이름은 부의였다. 그녀는 이백여 년 전 무림의 최고수였던 곽 대협의 정통을 이어받은 후손이자, 여전히 그 명성 드높은 곽가장(郭家莊)의 여식이었다.

애당초 철목가주 정극신이 곽부의와 혼인한 건 사랑이

아니라 서로 전략적으로 이해관계가 맞았기 때문이었다.

홀로 철목가라는 거대한 가문을 세운 정극신에게는 정통성이라는 게 없었다.

의외로 백도 정파는 정통성과 가문, 사문 등의 명맥을 상당히 따지는 편이었다. 배분(輩分)과 계파(系派)를 중시해서, 가까운 사이는 친목하고 관계가 없는 사이는 배척하는 게 백도 정파 사람들의 오래된 전통이었다.

그러나 홀로 일어선 정극신에게는 마땅히 내세울 만한 가문이나 사문도 없었으니, 백도 정파의 거두들은 그런 정극신을 굳이 가까이하려 하지 않았다.

필요에 의해 그를 존중하기는 했지만 절대 한 가족으로 인정하려고 들지 않았다.

한편 불세출의 고수 곽 대협이 세운 곽가장은 이후 뛰어난 후인들이 나타나지 않으면서 점점 그 명성을 잃고 있던 참이었다.

언제까지 과거의 명성에만 매달려 있을 수 없던 곽가장은 새로 등장한 정극신에게 눈을 돌렸으며 그를 사위로 맞아들여 새로운 부흥을 노리고자 했다.

정극신에게는 거절할 이유가 없었다.

천하의 곽가장이 처가(妻家)가 되는 것이고 그로 인해 백도 정파의 당당한 일원으로 합류할 수 있었으며, 무엇보다 곽부의라는 여인이 아름답고 현명하며 자질이 뛰어났으니까.

정극신은 자신과 그녀의 피를 이어받은 아이라면 능히 천하를 지배한 영웅이 될 것이라고 생각하면서 혼사를 결정했고, 그렇게 곽부의는 철목가의 정실이자 정 부인이 되었다.

몇 년이 흘러 정극신과 곽부의 사이에서 아들이 태어났다. 확실히 정극신의 예상대로 아이는 뛰어난 자질을 지녔지만, 하늘의 시샘이었는지 몇 년 살지 못하고 목숨을 잃었다. 이후 곽부의는 두 번 다시 아이를 갖지 못했고, 정극신은 둘째, 셋째 부인을 얻어서 대를 잇고자 했다.

둘째 부인에게서 두 명의 아들이, 셋째 부인에게서 한 명의 아들이 차례로 태어나면서 곽부의는 결국 뒷방의 늙은이가 되고 말았다. 철목가는 물론 세상 모든 사람들의 기억에서 잊혀졌다.

그런 그녀가 정극신이 죽고 난 이후 철목가의 전권을 휘어잡고 이렇게 당당하게, 항주에서 수천 리 떨어진 건곤가에서 그 모습을 드러낸 것이다.

'항주 철목가가 아닌 이곳에 그녀가 나타났다는 건, 다시 말해서 이미 철목가의 모든 전권을 휘어잡은 상황이라는 거겠지.'

만약 아직도 그녀의 자리가 위태하고 입지가 불안하다면 이렇게 쉽게 본가를 비우지 못할 것이다. 그녀의 등과

뒤통수를 노리는 적들이 언제 철목가를 빼앗으려 들지 모르는 일이었으니까.

즉, 그녀가 철목가를 비우고 한 달 이상의 여정을 할 수 있다는 건 그만한 자신감이 있다는 의미였다. 그녀가 자리를 비워도 결코 철목가를 빼앗기지 않는다는 확고한 자신감이.

'어쩌면 철목가는 정극신 일대(一代)에서 막이 내릴지도 모르겠구나.'

천예무가 그런 생각을 할 때, 이 회담의 발안자(發案者)인 금해가의 초일방이 입을 열었다.

"회담을 시작하기에 앞서 먼저 이렇게 흔쾌히 자리를 마련해 주신 천 가주께 감사드리오."

"허허, 별말씀을……."

천예무가 웃으며 입을 여는 순간이었다.

그의 넓은 시야 한쪽으로, 문득 정자 밖 먼 하늘에서 매 한 마리가 날아오는 게 잡혔다. 일순 천예무의 얼굴이 희미하게 굳어졌다.

그는 헛기침을 하며 자리에서 일어났다.

"미안하오. 급한 용무가 있으니 일각 정도만 회담을 늦춰 주시기 바라오."

초일방은 살짝 당황했지만 이내 껄껄 웃으며 말했다.

"일각이라면 아무래도 큰 용변을 보시려나 보오."

천예무는 살짝 미소를 지어 보인 후, 정자를 빠져나와 본청으로 향했다. 얼마 지나지 않아 총관이 허겁지겁 달려와 허리를 숙이며 말했다.

"삼통령(三統領)의 전갈입니다."

"어서 건네거라."

"여기 있습니다."

총관은 공손한 자세로 들고 온 쪽지를 천예무에게 건넸다. 천예무는 사뭇 긴장한 얼굴로 쪽지에 적힌 글을 읽어 내려갔다. 그의 눈빛이 한순간 살기로 번들거렸다.

"흠. 나쁘지 않군."

천예무는 삼매진화의 수법으로 쪽지를 불태우면서 중얼거렸다.

"그럼 회담에서 주장할 내용이 하나 는 건가?"

잠시 생각하던 그는 곧 자리에서 일어나 연못 정자로 되돌아갔다. 두 명의 가주와 두 명의 가주 대리는 두런두런 담소를 나누다가 천예무를 돌아보았다. 초일방이 웃으며 말을 건넸다.

"생각보다 일찍 오셨구려."

천예무는 자리에 앉으며 입을 열었다.

"그럼 본론으로 들어갑시다. 왜 긴급 전석회의를 발안하셨는지 이유부터 듣고 싶소."

초일방의 얼굴이 딱딱하게 굳어졌다. 그는 진중한 표정

으로 입을 열었다.

"다들 잘 알고 계시겠지만, 지금 우리는 상당한 곤욕을 치르고 있소이다. 바로 무림오적이라는……."

일순 정자 내의 공기가 무겁게 가라앉았다.

2. 묵철검(墨鐵劍)

다른 사람들과는 달리 담호는 좀처럼 발을 쉽게 떼지 못하고 있었다.

―한 번 문을 지나치면 되돌아갈 수 없단다.

그 한마디 경고가 천 근의 무게로 그의 발걸음을 짓누르고 있었다. 행여 한눈을 팔다가, 혹은 무심코 지나치다가 정작 내가 필요하고 나를 원하는 물건을 알아차리지 못한다면 큰일이라는 생각에 그는 아직도 병기고에서 나서지 못하는 중이었다.

"뭐, 시간은 한 시진이나 있으니 천천히 생각하렴. 엄마는 먼저 갈 테니까."

나찰염요는 '엄마'라는 단어에 힘을 주며 빙긋 웃고는 그렇게 병기고를 빠져나가 다음 문으로 들어섰다.

"한 시진이라고는 하지만 의외로 짧다는 걸 명심해라. 벌써 일각이 흘렀으니까."

설벽린이 왼손으로 담호의 머리를 헝클어 놓고는 씨익 웃으며 그를 지나쳐 갔다.

그렇게 어른들이 하나둘씩 자신을 지나쳐 가는 걸 보면서 담호는 점점 초조해졌다. 그는 다급한 눈빛으로 다시 한번 병기고의 물건들을 훑어보았다.

"너무 초조해하지 마."

홀로 병기고 여기저기를 돌아다니다가 어느새 담호의 곁으로 다가온 초목아가 부드럽게 말했다.

"그게 진짜 네 것이라면 이번 기회가 아니더라도 언젠가는 얻게 될 테니까."

담호는 한숨을 쉬며 머리를 설레설레 흔든 다음 초목아를 돌아보며 물었다.

"누나는 찾았어?"

"응."

초목아는 눈빛을 반짝이며 기쁜 얼굴로 말했다.

"이거."

담호는 어리둥절한 얼굴로 그녀가 내민 손을 내려다보았다. 긴 소매 사이로 드러난 가늘고 긴 손가락.

"아, 이거."

초목아는 얼른 소매를 걷었다. 그제야 그녀의 손목에

채워진 토시처럼 생긴 검은 가죽이 제 모습을 드러냈다.

"투수구(套手具)?"

담호가 고개를 갸웃거렸다.

그건 언뜻 보면 사냥꾼이나 매잡이들이 팔을 보호하기 위해 사용하는 투수구와 다를 바가 없었다.

하지만 조금 더 자세히 보면 일반적으로 쓰이는 투수구와는 달리, 가죽 사이사이에 대나무와 철을 덧대어 만들어졌다는 걸 알 수 있었다.

거기에다가 수십 개의 조그만 구멍이 나 있었는데, 검은 가죽 색깔에 가려져 쉽게 눈에 들어오지 않았다.

초목아는 당황해하는 담호의 표정이 마음에 들었는지 어깨를 으쓱거리며 자랑스럽게 말했다.

"이게 눈에 확 뜨이더라고. 내가 이걸 고르니까 네 아빠가 깜짝 놀라시더니라까? 백팔침투구(百八針套具)가 이런 곳에서 잠자고 있다니! 하면서 말이지."

"백팔침투구? 그러면 이게 암기야?"

"응, 그렇대. 요기 조그만 구멍들 보이지? 여기에서 쇠침이 발사하는 거래. 이렇게 손바닥 아래 딱딱한 부분을 누르면 말이야."

초목아는 신이 나서 손목을 뒤집어 가며 설명했다.

"쇠침에 독을 바르면 더욱 살상력이 높아진다고 하셨어. 이쪽으로 쇠침을 한가득 넣으면, 세 번 정도 발출할 수 있다더라고. 네 아빠, 모르는 게 없더라?"
"그야……."
담호는 설명하려다가 입을 다물었다.
그의 부친 담우천 역시 이런 투수구를 가지고 있었다. 쇠침이 아닌 아주 조그마한 쇠화살을 발출하는 투수구였지만, 어쨌든 이런 암기 쪽에는 해박한 게 당연한 일이었다.
"쇠침은 헌원 노대에게 부탁하면 얼마든지 만들어 주실 거라고 했어. 그러니까 무공도 약하고, 내공도 부족한 내가 사용하기에는 딱 좋은 물건이지."
"다행이다, 누나. 마음에 드는 걸 찾아서."
"그래. 그러니까 너도 충분히 찾을 거야."
"그럼 좋겠지만."
담호는 어린아이답지 않게 무거운 한숨을 내쉰 후 다시 처음부터 병기고를 천천히 돌아보았다.
문득 그는 정작 지금의 자신에게 필요한 게 무엇인지 전혀 모르고 있다는 생각이 들었다. 눈살을 찌푸린 채 고민하던 그는 결국 길게 한숨을 토해 냈다.
'강 숙부 말씀대로 내공을 높일 영약이 가장 나을까?'
그렇게 반쯤 포기한 채 병기고 끝자락을 지나치려는 순간이었다.
'응?'

담호는 문득 걸음을 멈췄다. 그리고 방금 자신의 눈가를 스치고 지나갔던, 희미하게 빛나던 무언가를 찾기 위해 고개를 돌렸다.

"어라?"

그의 눈이 동그랗게 변했다.

분명히 반짝였다고 생각했는데, 지금 자세히 바라보니 전혀 반짝일 리가 없는 새까만 묵철(墨鐵)의 검이었다. 빛을 반사하지 않고 흡수하는 것처럼 전혀 빛나지 않는 검.

담호는 홀린 듯 그 검을 향해 다가섰다.

거무튀튀한 묵철이라는 걸 제외한다면 일반적인 크기의 일반적인 형태를 지닌 검이었다. 손잡이 또한 뭉툭하고 별다른 장식이나 문양이 없어서, 대충 만들마 만 싸구려 검처럼 보였다.

그러나 비록 구석진 자리라고는 하지만, 황궁무고의 병기고에 있는 무기였다. 절대 싸구려 물건일 리가 없었다. 뭔가 사연이 있고 가치가 있으며 효용이 있을 게 분명했다.

담호는 잠시 그 묵철검(墨鐵劍)을 지켜보았다. 보명 볼수록 이게 내 물건이다, 라는 확신이 들기 시작했다. 묵철검이 자신을 원하고 있는 것 같다는 착각까지 들었다.

"뭔데?"

초목아가 등 뒤로 다가와 기웃거렸다.

기묘한 일이었다. 일순 담호는 문득 그녀에게 빼앗길지도 모른다는 생각이 들었다.

'빼앗길 수 없어!'

강렬한 욕망이 어린 담호의 가슴에 휘몰아쳤다. 그는 저도 모르게 황급히 손을 뻗어 묵철검을 쥐었다.

"그거야, 마음에 든 게?"

초목아는 천진난만하게 물었다. 담호는 그제야 정신을 차리고 깜짝 놀랐다.

'누나가 내 물건을 탐할 리가 없잖아? 이미 자신의 마음에 드는 걸 찾았는데.'

그런데 왜 갑자기 그런 생각이 든 걸까.

담호는 조금은 두려운 눈빛으로, 제 손에 쥐어진 묵철검을 내려다보았다.

* * *

담호와 초목아가 병기고를 나서 두 번째 문, 각종 무공비급이 수집되어 있는 무서고(武書庫)의 문을 열고 들어섰을 때, 그곳에는 놀랍게도 담우천이 홀로 남아 기다리고 있었다.

"아, 아버지?"

담호가 움찔거리자 담우천은 덤덤한 어조로 물었다.

"골랐느냐?"

"네. 여기 있습니다."

담호는 두 손으로 공손히 묵철검을 내보였다.

"흐음."

담우천은 아무런 말 없이 가만히 묵철검을 내려다보았다. 담호는 괜히 불안해졌다. 아주 형편없는 물건을 골랐다는 소리를 들을 것만 같았다.

그러나 담우천은 별다른 반응 없이 고개를 끄덕이며 입을 열었다.

"나쁘지 않은 것 같다."

"그래요?"

담호의 눈빛이 반짝였다.

"누가 사용했던, 어느 시대의 물건인지는 모르겠지만 마음껏 휘둘러도 부러지거나 날이 상할 것 같지는 않구나. 그 정도면 좋은 물건인 게다."

"감사합니다."

담호는 왠지 아쉬운 마음이 들었지만 이내 꾸벅 고개를 숙이며 말했다.

담우천이 몸을 돌렸다.

"그럼 가자. 벌써 삼각가량 흘렀으니까."

"네? 벌써요?"

담호는 깜짝 놀랐다.

벌써 삼각이나 흘렀다니, 그렇다면 이제 일각밖에 남지 않았다는 게다. 담호야 이미 묵철검을 손에 쥐었으니 상관없었지만 여기서 기다리고 있던 담우천은 아직도 빈손이었다.

"아버지는요?"

담우천은 성큼성큼 걸으며 대답했다.

"이미 생각해 둔 게 있다."

담호와 초목아는 빠른 걸음으로 그 뒤를 쫓았다. 이번에는 초목아가 물었다.

"그게 뭔데요?"

담우천은 그녀의 당돌함에 살짝 눈살을 찌푸렸지만 개의치 않고 대답해 주었다.

"영단을 생각 중이다."

"영단이요? 그럼 내공을 높이실 생각인가요?"

"그렇지."

"와아, 아저씨 정도의 고수도 내공이 부족하다고 생각하시는 건가요?"

담호는 어쩔 줄 모르는 얼굴을 하고서, 쉴 새 없이 질문을 퍼붓는 초목아에게 눈짓을 주었다.

그러나 소용이 없었다. 어른 무서운 줄 모르고, 담우천 두려운 줄 모르는 초목아는 여전히 천진난만한 표정을 지은 채 계속 묻고 또 물었다.

의외인 건 담우천이었다.

담우천은 비록 무뚝뚝하기는 했지만, 연거푸 이어지는 초목아의 질문에 전혀 귀찮은 얼굴을 하지 않고 생각보다 훨씬 더 부드러운 목소리로 일일이 대답해 주었다.

"끝이 없는 게 무공의 길[道]이고 한계점이 없는 게 내공의 깊이이지. 게다가 나 정도의 고수라면 더더욱 필요한 게 무공이고 내공인 게다."

"그럼 비급은요?"

"이 나이에는 새로운 무공을 익히는 것보다는 이미 익힌 무공을 더욱 깊고 날카롭게 수련하는 게 낫단다."

"아하, 그래서 영단인가요?"

"그런 셈이다."

그런 문답을 나누는 동안 세 사람은 어느새 무서고를 지나 영약고(靈藥庫)에 이르렀다. 그곳은 온갖 영단과 영약들로 가득 찬, 황궁무고 세 번째이자 가장 규모가 작은 공간이었다.

"당연하지. 약들의 부피가 작으니까 공간이 작을 수밖에. 하지만 그렇게 약들이 조그만 만큼 더 크게 눈을 뜨고 집중하여 살펴야 해. 미처 보지 못하고 지나치는 영약들이 수두룩하니까."

앞서 영약고에 들어선 강만리가 누군가에게 주의를 주

는 소리가 들리는 가운데, 담우천 일행은 영약고에 들어섰다.

3. 모든 지나간 것은 아름답다고 하지

한 시진은 생각보다 훨씬 짧았다. 창고를 가득 메운 물건들은 생각보다 훨씬 많았다. 마지막 문을 나서면서 남는 후회와 아쉬움 또한 생각보다 훨씬 깊었다.

"쳇, 더 좋은 게 있었던 것 같은데."

별채로 돌아온 화군악이 투덜거렸다.

"무서고를 너무 빨리 지나친 것 같아. 거기에서 좀 더 시간을 투자했어야 하는데. 막상 영약고에 들어서니까 시간이 너무 많이 남았어."

설벽린이 의자에 털썩 주저앉으며 아쉬워했다.

"그러니까요. 시간 배분을 좀 더 잘했어야 하는데."

장예추도 머리를 긁적이며 한숨을 내쉬었다.

"자, 그만들 하고."

강만리가 손뼉을 치며 화제를 돌렸다.

"다들 뭘 선택했는지 궁금하지만 굳이 꺼내 보여 달라고는 하지 않을 테니 얼른 들어가 잠이나 자라고. 내일 황태자 전하께 인사를 드리고 바로 출발할 거야."

"내일 바로요?"

정유가 묻자 강만리는 고개를 끄덕였다.

"그래, 내일 바로."

"그렇게 서둘러야 합니까? 태자비 사건도, 황후 일도 대충 정리가 되었으니까 며칠 더 머물러도 되지 않나요?"

화군악의 말에 강만리가 인상을 찡그렸다.

"태자비 사건도 황후 일도 대충 정리가 되었으니 떠나자는 게다. 여기 며칠 더 머물면 다시 무고에 들어갈 일이라도 생길 것 같더냐?"

"아니면 말죠."

화군악이 씨익 웃자 강만리는 어이가 없다는 듯 한숨을 내쉬었다. 그러고는 조금은 가라앉은 목소리로 말했다.

"예서 며칠 한가로이 지내면서 해이해진 것 같은데, 지금 우리는 금해가를 비롯한 적들에게 쫓기고 있는 실정이다. 게다가 초 노야는 아직도 깨어나지 못하고 있고, 채석장에 남아 있는 이들은 우리가 돌아오기만을 기다리고 있다. 여유 부릴 때가 아니란 말이다."

화군악의 얼굴에서 웃음기가 사라졌다. 초목아의 표정이 가라앉았다. 다른 이들 또한 진지한 얼굴이 되었다.

강만리는 계속해서 화군악을 나무라는 듯 말을 이어 나갔다.

"그러니 놈들에게 뒤를 잡히기 전에 최대한 빨리 도망쳐야 하는 거지. 사실 북해빙궁에 도달한다고 해서 우리가 안전해지는 건 아니다. 외려 북해빙궁 사람들을 위험에 처하게 만드는 일이 될 수도 있다."

"그건 걱정 말아요."

예예가 끼어들었다.

"북해는 무림인이라고 해도 함부로 활보하고 다닐 정도로 만만한 곳이 아니니까요."

"그건 나도 알고 있지."

강만리는 눈을 가늘게 뜨며 말했다.

"하지만 그건 그거고 이건 이거야. 어쨌든 결국 우리가 오대가문과 금적산이라는 적을 데리고 북해로 들어가는 거잖아? 우리만 아니면 평온하게 살아갈 빙궁 사람들에게 피해를 주는 건 확실한 거지."

"그럼 중간에서 목적지를 바꾸는 건 어떨까요?"

잠자코 있던 화군악이 힐끗 담우천을 바라보며 말했다.

"예를 들면 담 형님이 은거하고 있던 요녕(遼寧) 땅이라든가, 아니면 아예 여진(女眞)의 땅으로 숨어 들어가는 것도 나쁘지 않을 것 같은데요."

강만리는 일리가 있다는 얼굴로 고개를 끄덕였다. 예예가 다시 입을 열었다.

"빙궁 사람들이 위험에 처하는 걸 걱정하는 거라면 너

무 우리 빙궁을 무시하는 거예요."

강만리가 그녀를 돌아보았다. 예예는 차분하고 담담하지만 확고한 의지와 자존심이 담긴 목소리로 말했다.

"우리는 결코 죽는 걸 두려워하지 않아요. 우리의 가족이 위험에 처했을 때, 죽는 게 두려워서 그들을 외면하는 사람들이 아니에요. 설마 당신은 제 아버님과 북해 사람들이 위기에 처했을 때, 죽는 게 두려워서 그들을 도와주지 않을 건가요?"

"아니지, 그건."

강만리는 고개를 저었다.

"그래요. 그러니 폐를 끼치는 걸 두려워하지 말고 함께 힘을 모아 놈들을 물리칠 궁리를 하는 게 훨씬 생산적인 일이라고 생각해요. 당신은 그렇지 않은가요?"

"허험, 물론 그렇지."

"도련님은요?"

"아, 저요? 저도 마찬가지입니다. 저는 형님처럼 북해 빙궁 사람들을 겁쟁이라고 여기지 않거든요."

화군악의 말에 강만리가 펄쩍 뛰었다.

"누가 누굴 겁쟁이라고 생각하는데?"

"아, 그러니까 그런 말씀이 아니셨어요? 제가 착각한 모양이네요."

화군악이 오리발을 내밀자 강만리는 잡아먹을 듯이 그

를 노려보다가 결국 한숨을 쉬며 크게 고개를 끄덕였다.

"알겠네. 그럼 내일 전하를 만나 뵌 다음 바로 북해빙궁으로 출발하세."

* * *

"역시 오늘 바로 출발하는 겐가?"

주완룡이 담담하게 물었다. 강만리는 허리를 굽힌 채 대답했다.

"그렇습니다."

"아쉽군."

"저도 아쉽습니다."

"원한다면 십만 대군이라도 내줄 수 있는데."

"일전에 말씀드렸지 않습니까? 강호의 일은 강호인끼리 풀어야 한다고요. 황궁이 끼어들면 되레 복잡해집니다."

"내 아내를 잃었는데도?"

"그건…… 그저 죄송할 따름입니다."

태자비는 자결했다. 남편 앞에서 불륜의 죄를 인정하고 스스로 목숨을 끊었다. 그녀가 불륜을 범한 것 역시 따지고 보면 그녀의 죄고, 그녀를 홀로 놔둔 남편의 잘못이었다. 그러니 누구를 탓할 것도 없었다.

그래서 억지로 참고 있는 중이었다.

마음 같아서는 백만 대군을 일으켜 강호를 휩쓸고 싶었다. 저 수상쩍기 그지없는 건곤가를 비롯하여 무림의 모든 문파와 무림인들을 몰살시키고 싶었다.

하지만 주완룡은 황태자였고, 무림인들은 그의 백성이었다. 게다가 빈대 한 마리를 잡기 위해 초가삼간을 모두 불태울 것까지는 없었다.

그보다는 강만리가 장담한 대로 우선 그에게 맡겨 주는 게 나은 일이었다. 그가 할 일을 할 수 있도록 뒤에서 힘을 실어 주는 게 옳은 일이었다.

주완룡이 굳이 황제를 설득하여 강만리와 그 일행에게 황궁의 보고를 열어 준 이유가 바로 거기에 있었다.

주완룡은 가만히 강만리를 내려다보다가 무심한 목소리로 천천히 입을 열었다.

"요 며칠 동안 태자비와의 지난 일들을 회상해 보았네."

강만리는 묵묵히 들었다.

"처음 그녀를 만나고 기뻐했던 것, 그녀와 사랑을 나누고 행복했던 것, 그녀가 내 아이를 잉태하고 출산했을 때는 아아, 정말 세상을 다 가진 것 같았지. 돌이켜보면 그녀와의 시간은 늘 기쁘고 행복했었네."

강만리는 충분히 이해할 수 있었다.

그 또한 예예를 만나 이런저런 일들을 겪으며 사랑에 빠졌으니까. 예예가 그의 아들 정을 잉태하고 출산했을 때는 그야말로 세상을 다 가진 듯한 기분이었으니까.

"하지만 말일세."

주완룡은 잠시 생각하다가 말을 이었다.

"막상 이렇게 기억을 되살려 회상해 보면 왜인지 모르겠지만, 그녀에게 미안하고 슬픈 생각만 드네. 좀 더 잘해 줄 것을…… 좀 더 함께할 것을…… 좀 더 그녀의 말에 귀를 기울이고 그녀의 마음을 이해하려 할 것을…… 하는 아쉬움만 남게 되더군."

강만리는 뭔가 말을 해야 하지 않을까 싶어서 입을 달싹거리다가 단념했다. 예서 하는 위로는 모두 말장난에 불과하다는 생각이 들어서였다.

주완룡은 눈을 지그시 감으며 말했다.

"모든 지나간 것은 아름답다고 하지. 하지만 아름다운 만큼 아쉽고 후회도 남는 법일세. 만약 그때 조금만 더 충실했더라면, 최선을 다했더라면 하는 아쉬움들 말일세."

강만리는 속으로 한숨을 쉬었다. 주완룡의 아픔이 얼마나 절절한지 알 것 같았다.

"그래서 하는 말일세."

주완룡은 눈을 떠 강만리를 보며 말했다.

"훗날 후회하지 않도록, 아쉬워하지 않도록 지금 이 순간에 충실하여 최선을 다할 생각이네."

강만리는 오래간만에 입을 열었다.

"잘 생각하셨습니다, 전하."

"전하라니."

주완룡은 씁쓸한 표정을 지으며 다시 말했다.

"우선 한 가지 충고를 해 주지. 자네는 나처럼 후회하지 않도록 제수씨에게 최선을 다하게."

강만리는 저도 모르게 움찔거렸다. 계속해서 주완룡의 말이 이어졌다.

"그리고 국경을 벗어나기 전까지는 황궁이 그대들의 호위를 해 주겠네."

"네?"

강만리가 깜짝 놀라며 고개를 들었다. 주완룡이 빙긋 웃으며 말했다.

"이제야 제대로 대사형의 얼굴을 보는군그래."

"죄송합니다, 대사형."

강만리는 살짝 얼굴을 붉히며 말했다.

"그런데 호위라 하심은……."

"금위의 백 명과 북경부 북위지휘사사(北衛指揮使司)를 붙여 줄 것이야. 그들이 나라의 깃발을 휘날리고 있으면 감히 그 누구도 접근하지 못할 테니까."

"하, 하지만 전하, 아니 대사형. 그렇게 요란하고 시끄럽게 움직이면 당연히 놈들의 이목에……."

"아니, 황궁의 군대가 국경 일대를 시찰하러 가는 일이네. 자네들의 행적은 그 누구도 알 수 없을 것이야."

"하지만 적의 이목은 낮의 새, 밤의 쥐보다 더 영민하고 날카롭습니다."

"자네들은 하루 후, 그러니까 내일 북경부를 빠져나가겠지. 한 대의 팔두마차와 십여 필의 말이 은밀하게 요녕 쪽으로 움직일 걸세. 나는 그들을 배웅하기 위해 자금성 입구에 나갈 것이고."

강만리의 머리가 빠르게 돌아갔다.

지금 주완룡의 계책이 그리 나쁘지 않다는 생각이 들었다. 강만리 일행으로 변장한 이들이 제대로 움직여만 준다면 최소한 닷새 이상의 시간을 벌 수 있었다.

강만리는 조심스레 입을 열었다.

"하나 금의위 백 명과 북경부 북위지휘사사의 오천여 병력이 움직이려면 아무래도 시간이……."

"이미 대기하고 있는 중이네. 자네들만 준비하면 곧바로 출발할 것이니 걱정하지 말게."

"채석장의 사람들도……."

"미리 사람을 보내서 병졸들로 변장케 했네."

주완룡의 담담한 이야기에 강만리는 놀란 눈으로 그를 쳐다보았다. 문득 조금 전 허투루 들었던 주완룡의 말이 떠올랐다.

-역시 오늘 바로 출발하는 겐가?

'그렇군. 내가 오늘 떠난다는 걸 미리 알고 계셨구나.'

강만리는 진심으로 감탄하여 말했다.

"이거야…… 마치 부처님 손바닥의 손행자(孫行者) 같은 기분입니다."

주완룡이 문득 미소를 지으며 물었다.

"이 정도는 되어야 무림포두를 아우로 둔 대사형이라 할 수 있지 않겠나?"

강만리도 따라 웃으며 말했다.

"차고 넘치십니다, 대사형."

* * *

그날 정오 무렵.

백 명의 금의위와 오천여 북경부 북위지휘사사의 군대는 북쪽 국경 일대를 시찰하는 임무를 지니고 북경부에서 출발하였다.

(무림오적 43권에서 계속)